Sabrina Maffei e Maurizio Spagnesi

ASCOLTAMI!

22 situazioni comunicative

3ª edizione
riveduta e aggiornata

Bonacci editore

Questo libro è il frutto della stretta collaborazione tra i due autori,
i quali hanno discusso ed elaborato insieme i vari punti. In particolare Sabrina Maffei si è occupata
delle unità dalla n. 1 alla n. 11 e Maurizio Spagnesi dalla n. 12 alla n. 22.

Disegni di Claudio Marchese

Bonacci editore srl
Via Paolo Mercuri, 8
00193 ROMA (Italia)
tel:(++39)06.68.30.00.04
fax:(++39)06.68.80.63.82
e-mail: info@bonacci.it
http://www.bonacci.it

INDICE

ALLA STAZIONE

1. STAZIONE

2. BIGLIETTO

3. BINARIO

4. TRENO

Prima di ascoltare

0

Osserva le immagini e descrivile in Italiano.

1 _____   3 _____

2 _____   4 _____

Primo ascolto

1

Ascolta e rispondi.

a. Il signore fa un biglietto di sola andata.   Vero ☐   Falso ☐

b. Il biglietto costa 25 euro.   Vero ☐   Falso ☐

c. Il treno è in orario.   Vero ☐   Falso ☐

Secondo ascolto

2

Verifica le tue risposte.

Terzo ascolto

3

Ascolta e ripeti.

Quarto ascolto

Ascolta e completa.

Impiegato	Buongiorno.
Passeggero	Buongiorno. Un _____ andata e ritorno per Milano.
Impiegato	Vuole viaggiare con un treno _____?
Passeggero	Sì.
Impiegato	Allora deve pagare il supplemento rapido e la _____ è obbligatoria.
Passeggero	Va bene. Quanto _____?
Impiegato	Venticinque euro in tutto.
Passeggero	Ecco. Sa da quale _____ parte?
Impiegato	Dal numero dieci, alle undici e cinque, ma oggi è in _____
Passeggero	Bene, grazie. Devo cambiare a Bologna?
Impiegato	No. È un intercity.
Passeggero	Bene, grazie. Buongiorno.
Impiegato	Arrivederci. Buon viaggio.

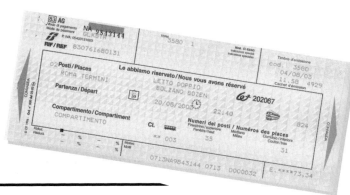

Analisi di un dialogo

Ricostruisci il dialogo fra l'impiegato della biglietteria e un passeggero.

- Solo andata?
- Di niente. Buongiorno.
- Fra dodici minuti.
- Un biglietto per Roma Tiburtina. Quant'è?
- Alle diciotto e venti.
- No, andata e ritorno.
- Grazie mille. Arrivederci.

- Diciotto euro.
- Da quale binario parte?
- Buongiorno.
- Dal quarto.
- A che ora?
- E quando arriva a Roma?
- Buongiorno.

PASSEGGERO		IMPIEGATO	
1		2	
3		4	
5		6	
7		8	
9		10	
11		12	
13		14	

ALLA STAZIONE

Associazioni

Associa parole e immagini, poi verifica se le hai associate correttamente.

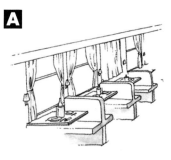

2. VAGONE LETTO

1. CARROZZA

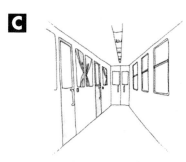

7. CONTROLLORE

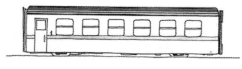

5. ABBONAMENTO

8. CORRIDOIO

3. FINESTRINO

6. VAGONE RISTORANTE

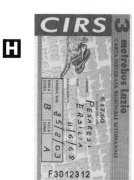

4. CUCCETTA

Soluzione

A _____ B _____ C _____ D _____

E _____ F _____ G _____ H _____

7 Creare un dialogo

Tu sei l'impiegato della biglietteria e il tuo compagno è un passeggero. Create un dialogo di otto battute. Usate le indicazioni date qui sotto.

IMPIEGATO	PASSEGGERO
13 euro	Destinazione: Verona
Binario 3	Solo andata
Ore 18,15	

8 Un'immagine per dialogo

Ascolta i tre dialoghi e associali alle immagini.

A   **B**   **C**

Soluzione

DIALOGO **1** _____   DIALOGO **2** _____   DIALOGO **3** _____

9 Cosa dici se...

a. Non sai a che ora parte il tuo treno?   _____

b. Non sai se il tuo treno ferma a Bologna?   _____

c. Non sai se è permesso fumare in treno?   _____

d. Non sai che ore sono?   _____

e. Non sai qual è il binario per il tuo treno?   _____

f. Non sai il motivo del ritardo del tuo treno?   _____

AL RISTORANTE

1. TAVOLO

2. MENU

3. ORDINARE

4. CONTO

Prima di ascoltare

0

Osserva le immagini e descrivile in italiano.

1 _____   3 _____

2 _____   4 _____

Primo ascolto

1

Ascolta e rispondi.

a. La signora va al ristorante per pranzo.   Vero ☐   Falso ☐

b. La signora prende del pesce.   Vero ☐   Falso ☐

c. La signora beve acqua minerale.   Vero ☐   Falso ☐

Secondo ascolto

2

Verifica le tue risposte.

Terzo ascolto

3

Ascolta e ripeti.

4 Quarto ascolto

Ascolta e completa.

Cameriere	Buonasera, signora.
Signora	Buonasera.
Cameriere	Prego, da questa parte. Questo _____ va bene?
Signora	Benissimo, grazie. Posso avere il menù, per favore?
Cameriere	Certo. _____ il menù.
Signora	Lei cosa mi consiglia?
Cameriere	Oggi abbiamo pesce fresco. La nostra specialità è il pesce alla _____ .
Signora	Bene. Allora prendo un piatto di spaghetti

al pomodoro e per _____ pesce alla griglia.

Cameriere	Per contorno?
Signora	Per contorno... carciofi fritti.
Cameriere	Da bere?
Signora	Una _____ di vino bianco.
Cameriere	Della casa?
Signora	Sì, della casa.
Cameriere	Bene. _____ !
Signora	Grazie.

5 Associazione

Associa lettere e numeri.

1. PENNE

 **A. PARMIGIANO**

Soluzione

1 _____

2 _____

B. ACETO

 **2. INSALATA**

6 Creare un dialogo

Tu sei il cameriere e il tuo compagno è un cliente. Il cliente ordina un risotto alla milanese, una bistecca e patate arrosto. Prende anche del vino rosso e un gelato alla crema.

7 Analisi di un dialogo

Ricostruisci il dialogo fra il cameriere e un cliente.

CAMERIERE

- Bene, signore, buon appetito.
- Allora può prendere una frittura di pesce. È freschissimo.
- Lasagne... bene. Vino?
- Abbiamo della carne di vitello molto buona.
- Ecco il menù.

CLIENTE

- Grazie. Cosa mi consiglia?
- Un rosso della casa.
- Sì, il pesce va bene. E per primo lasagne.
- Cosa mi consiglia?
- Grazie.
- No, non mangio carne.

CAMERIERE	CLIENTE
1	2
3	4
5	6
7	8
9	10

Cosa dicono?

8

Scrivi le battute per creare due dialoghi.

Osserva il menù

9

Cosa prendi, se hai problemi di linea?

Ristorante Il Carroccio

Antipasti

Crostini al salmone e burro	euro 2,00
Crostini ai funghi	2,00
Prosciutto e melone	4,00

Primi piatti

Gnocchi al ragù	5,00
Risotto alla milanese	6,00
Spaghetti al pesto	6,00
Lasagne al forno	7,00

Secondi piatti

Coniglio fritto	9,00
Sogliola al vapore	12,00
Petti di pollo al limone	8,00

Contorni

Insalata mista	euro 3,00
Carciofi fritti	4,00
Patate arrosto	3,00

Frutta

Frutta di stagione	3,00

Dolci

Tiramisù	2,00
Torta di mele	2,00
Cassata siciliana	2,00
Gelato	2,00

Bevande

Acqua minerale, vino della casa.

SERVIZIO INCLUSO.

10

Creare un dialogo

Tu sei un cliente e il tuo compagno è il cameriere. Costruite un dialogo di almeno otto battute. Usate le indicazioni date qui sotto e osservate il menù alla pagina precedente.

IL CLIENTE HA SOLTANTO 20 EURO.　　　　**IL CLIENTE È VEGETARIANO.**

11

Buon appetito!

Ascolta la ricetta. Individua gli ingredienti usati e la relativa quantità.

VINO ROSSO	_____	PANE IN CASSETTA	_____
CAPPERI	_____	ACCIUGHE	_____
LATTE	_____	AGLIO	_____
MOZZARELLA	_____	UOVA	_____
PREZZEMOLO	_____	FARINA	

12

E adesso provaci tu

Spiega ai tuoi compagni la ricetta di un piatto del tuo paese. Se è necessario, puoi usare le parole date qui sotto.

 **AFFETTARE**　　 **TAGLIARE**　　 **TRITARE**　　 **FRIGGERE**

 BOLLIRE　　 **PADELLA**　　 **PENTOLA**　　 **CASSERUOLA**

13

Cosa dici se...

a. Il conto è troppo salato?

b. La pasta è insipida?

c. Hai bisogno di andare in bagno, ma non sai dov'è?

d. Vuoi pagare con la carta di credito?

e. Vuoi fumare, ma non sai se è permesso?

AL BAR

1. ORDINARE

2. SCONTRINO

3. CAPPUCCINO

4. PAGARE

Prima di ascoltare

0

Osserva le immagini e descrivile in italiano.

1 _____   3 _____

2 _____   4 _____

Primo ascolto

1

Ascolta e rispondi.

a. Il ragazzo mangia della frutta.	Vero	☐	Falso	☐
b. La ragazza prende un caffè.	Vero	☐	Falso	☐
c. La ragazza paga il conto.	Vero	☐	Falso	☐
d. Spendono più di due euro.	Vero	☐	Falso	☐
e. Il barista non ha il resto.	Vero	☐	Falso	☐

2 Secondo ascolto

Verifica le tue risposte.

3 Terzo ascolto

Ascolta e ripeti.

4 Quarto ascolto

Ascolta e completa.

Paolo	Cosa prendi?		*Cinzia*	Niente di nuovo. Andiamo? È tardi.
Cinzia	Non lo so ... non ho fame.		**Paolo**	Sì.
Paolo	Un caffè?		*Cinzia*	No, _____ io.
Cinzia	Sì, _____ un caffè.		**Paolo**	No, dai...
Paolo	Un caffè e un succo di frutta, per favore.		*Cinzia*	No, no, lascia stare. _____ ?
Barista	Come lo vuole, il succo?		Barista	Allora, un caffè e un succo di frutta ...
Paolo	Alla _____, grazie.			un euro e ottanta.
Cinzia	Il caffè macchiato, per favore.		*Cinzia*	Mi dispiace, non ho _____
Barista	Va bene.		Barista	Non importa ... il resto e lo scontrino.
Cinzia	Tutto bene al lavoro?			Arrivederci.
Paolo	Più o meno, sempre le ___ cose. E tu?		*Cinzia*	Buongiorno.

5 Risolvi

Carlo va al bar. Non può spendere più di tre euro. Non beve alcolici, né latte. Che cosa prende?

_____

_____

_____

_____

_____

bar il giardino

CAFFETTERIA

CAFFÈ ESPRESSO	0,62	
" FREDDO	0,83	
" HAG	0,77	
" ORZO	0,67	
" LATTE	0,83	
LATTE	0,62	
CAPPUCCINO	0,72	
CIOCCOLATO	1,29	
CAMOMILLA	0,77	
THE	0,77	
" FREDDO	1,05	

LIQUORI

NAZIONALI	
" DI MARCA	1,55
ESTERI	1,55
" DI MARCA	2,07
PUNCH	2,32
	1,55

BIBITE

BIBITE ASS.	
" BARATT.	1,29
BIRRA	1,29
" ESTERA	1,80
PERONCINO	2,07
TROPICAL	1,29
SPREMUTE	1,55
FRULLATI	1,55
SCIROPPI	2,07
FRAPPE'	1,55
SUCCHI DI FRUTTA	1,29

GASTRONOMIA

PIZZETTE	
TRAMEZZINI	1,55
TOAST	1,03
PANINI	2,07
CORNETTI	1,80
	0,77

AL BAR

Ascolta il dialogo

Che cosa prende Andrea ? E Laura ?

ANDREA	**LAURA**
_____	_____
_____	_____
_____	_____
_____	_____

Analisi di un dialogo

7

Ricostruisci il dialogo fra il barista e il cliente.

- Bene, quant'è?
- Certo. Freddo?
- No. Al limone.
- Sì, certo. Quale?
- Vorrei un tè.
- Ecco il cannolo.
- Un euro e ottanta.
- No, preferisco caldo.
- Va bene ... ecco il suo tè.
- Un cannolo alla panna.
- Bene. Al latte?
- Grazie. Posso avere anche una pasta?

CLIENTE		BARISTA	
1	_____	2	_____
3	_____	4	_____
5	_____	6	_____
7	_____	8	_____
9	_____	10	_____
11	_____	12	_____

Creare un dialogo

8

Tu sei il barista e il tuo compagno è un cliente. Create un dialogo di almeno sei battute. Usate le parole date qui sotto.

ORDINARE   **CALDO**   **PANNA**   **ZUCCHERO**   **CAFFÈ MACCHIATO**

Lavorare in gruppo

Create tre differenti gruppi di parole e spiegate le vostre scelte. Confrontatevi con gli altri gruppi.

BRIOCHE

CAFFE'

TORTA

TRAMEZZINO

PIZZETTA

PANINO

LATTE

CIOCCOLATINO

CAPPUCCINO

GRAPPA

SPREMUTA DI ARANCIA

SPUMANTE

A

_____
_____
_____
_____

B

_____
_____
_____
_____

C

_____
_____
_____
_____

10 Discutete

Quali sono le somiglianze e le differenze fra i bar italiani e i bar del vostro paese?

L'UFFICIO POSTALE

1. MODULO

2. FILA

3. SPORTELLO

4. PAGARE

Prima di ascoltare

0

Osserva le immagini e descrivile in italiano.

1 _____   3 _____

2 _____   4 _____

Primo ascolto

1

Ascolta e rispondi.

a. Il cliente paga le tasse universitarie.   Vero ☐   Falso ☐

b. Il cliente è uno studente.   Vero ☐   Falso ☐

c. Il cliente va allo sportello sbagliato.   Vero ☐   Falso ☐

d. Il cliente ha già il bollettino.   Vero ☐   Falso ☐

2   Secondo ascolto

Verifica le tue risposte.

3   Terzo ascolto

Ascolta e ripeti.

4   Quarto ascolto

Ascolta e completa.

Studente	Buongiorno.		*Impiegato*	Il _____?
Impiegato	Buongiorno.		*Studente*	Come, scusi? Non ho capito.
Studente	Devo pagare le _____ universitarie.		**Impiegato**	Ha il bollettino di conto _____?
Impiegato	Questo non è lo sportello giusto.		*Studente*	No, non ce l'ho.
	_____ allo sportello numero tre.		**Impiegato**	Aspetti... ecco, questo è il modulo. Deve
Studente	Va bene, grazie.			_____ e poi può tornare a pagare.
...			...	
Studente	Buongiorno. Devo pagare le tasse per		*Studente*	Ecco, ho _____ . Va bene?
	l'_____ per Stranieri.		**Impiegato**	Perfetto.

5   Creare un dialogo

Tu sei un cliente e il tuo compagno è l'impiegato dell'ufficio postale. Create un dialogo di almeno dieci battute. Usate le parole date qui sotto.

TASSE UNIVERSITARIE

SPORTELLO

PAGARE

BOLLETTINO

ISCRIZIONE

COMPILARE

6   E adesso provaci tu!

Compila il modulo per pagare le tasse universitarie.

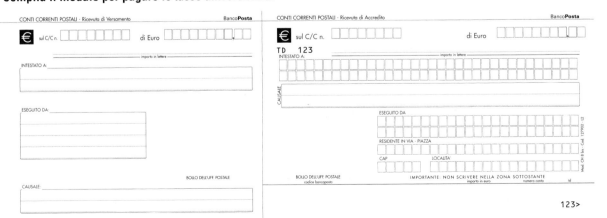

123>

Un'immagine per un dialogo

Ascolta il dialogo telefonico e riordina le immagini.

Cosa dici se...

8

a. Vuoi spedire una lettera in Corea, ma non sai quali francobolli sono necessari?

b. Vuoi spedire negli Stati Uniti un pacco che contiene importanti documenti?

c. Aspetti dei soldi da molto tempo e vuoi avere informazioni?

E adesso provaci tu!

Osserva il telegramma e scrivine uno simile per la seguente situazione: la tua migliore amica si sposa domani.
Scegli tra le forme date sotto.

CONGRATULAZIONI

IN BOCCA AL LUPO

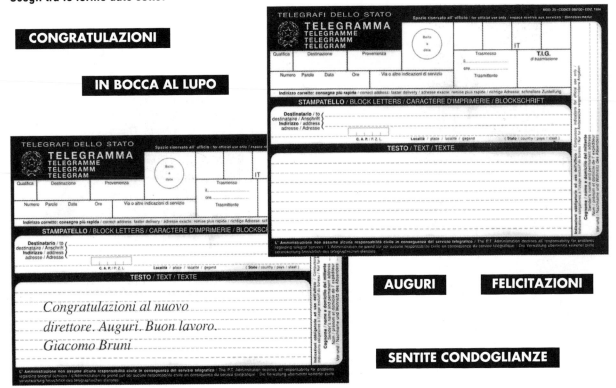

AUGURI   **FELICITAZIONI**

SENTITE CONDOGLIANZE

*Congratulazioni al nuovo
direttore. Auguri. Buon lavoro.
Giacomo Bruni*

Creare un dialogo

Tu sei l'impiegato dell'ufficio postale e il tuo compagno è un cliente che ha ricevuto una cartolina per ritirare una
raccomandata. Create un dialogo di almeno sei battute. Ricordate che per ritirare una raccomandata è necessario
mostrare un documento all'impiegato.

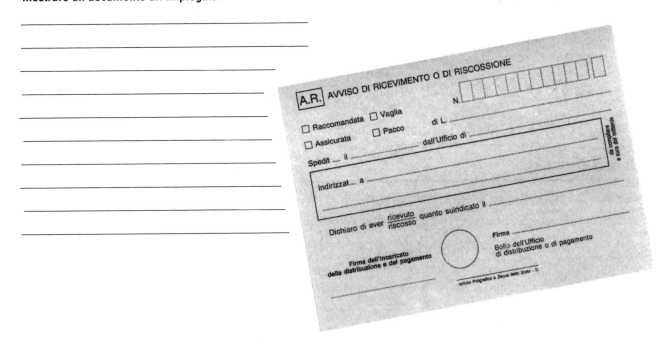

IN UN NEGOZIO

1. VETRINA

3. PROVARSI

2. COMMESSA

Prima di ascoltare

0

Osserva le immagini e descrivile in italiano.

1 _____

2 _____

3 _____

Primo ascolto

1

Ascolta e rispondi.

a. Il cliente vuole un maglione blu.   Vero ☐   Falso ☐

b. Il maglione costa novantacinque euro.   Vero ☐   Falso ☐

c. La commessa fa uno sconto al cliente.   Vero ☐   Falso ☐

Secondo ascolto

2

Verifica le tue risposte.

3 Terzo ascolto

Ascolta e ripeti.

4 Quarto ascolto

Ascolta e completa.

Commessa	Buonasera.		*Commessa*	Certo.
Cliente	Buonasera.		**Cliente**	Sì, mi sta bene. Quanto costa?
Commessa	Desidera?		*Commessa*	Novantacinque euro.
Cliente	Vorrei un _____ .		**Cliente**	Mi fa uno _____?
Commessa	Di che colore?		*Commessa*	Mi dispiace. I prezzi sono fissi.
Cliente	Non so... forse rosso.		**Cliente**	Va bene... Ecco.
Commessa	La _____?		*Commessa*	Grazie. Prenda lo _____ .
Cliente	Porto la cinquanta.		**Cliente**	Ah sì. Grazie. Arrivederla.
Commessa	Attenda un attimo.		*Commessa*	Buonasera.
...				
Cliente	Sì, questo mi piace. Lo posso _____ ?			

5 Creare un dialogo

Tu sei un cliente e il tuo compagno è il commesso. Create un dialogo di almeno otto battute. Il cliente vuole comprare tre capi d'abbigliamento per andare a una festa di matrimonio.

PANTALONI

CRAVATTA

CAMICIA

GUANTI

GIACCA

CAPPELLO

GILET

CINTURA

GONNA

IN UN NEGOZIO

Che cosa fanno?

Ascolta i tre dialoghi e forma tre frasi corrispondenti.

una signora	compra	una giacca
un bambino	cambia	una sciarpa
un signore	prova	un gelato

Soluzione

1 _____

2 _____

3 _____

Il dialogo aperto

Completa il dialogo tra il commesso e la cliente.

Commesso Buongiorno.

Cliente _____ .

Commesso Che tipo di quaderni, a righe o a quadretti ?

Cliente _____ .

Commesso Ecco i quaderni. Vuole altro ?

Cliente _____ .

Commesso Mi dispiace, non abbiamo penne di quel colore.

Cliente _____ .

Commesso Sì, rosse sì. Eccole.

Cliente _____ .

Commesso In tutto otto euro e venti.

Cliente _____ .

Commesso Arrivederci.

Che cosa dici se...

a. In lavanderia.

Porti le tue lenzuola sporche.

(lavare - lenzuola - stirare)

b. In libreria.

Vuoi regalare un libro a un amico che ama gli animali.

(amico - regalo - economico)

c. In un negozio di alimentari.

Un'amica viene a cena a casa tua, stasera. Vuoi

cucinare un piatto italiano.

(pasta - ricetta - pomodoro)

Analisi di un dialogo

Ricostruisci i quattro dialoghi e individua in quali negozi si svolgono.

CLIENTE	COMMESSO
Dialogo 1	**Dialogo 1**
1. perché sono a dieta.	**a.** una pasta alla crema non ingrassa molto.
2. vorrei ma non posso.	**b.** perché no?
Dialogo 2	**Dialogo 2**
1. prima o dopo i pasti?	**a.** provi queste pastiglie.
2. ho mal di denti.	**b.** dopo.
Dialogo 3	**Dialogo 3**
1. queste sono strette.	**a.** allora provi il trentanove.
2. trentotto.	**b.** che numero sono?
Dialogo 4	**Dialogo 4**
1. un chilo, per favore.	**a.** quanto?
2. mi dia quello integrale.	**b.** ne abbiamo solo mezzo chilo.

Soluzione

DIALOGHI	NEGOZI
1	
2	
3	
4	

CARTOLERIA ᘯ MACELLERIA ᘦ

Panificio *LAVANDERIA* ✚FARMACIA

◖◗ CALZATURE Profumeria

Discutete.

Osservate l'orario di apertura e chiusura dei negozi in italia. Sono uguali anche nel vostro paese ?

1. PIANTINA

3. INFORMAZIONI

2. VIGILE URBANO

Prima di ascoltare

0

Osserva le immagini e descrivile in italiano.

1 _____

2 _____

3 _____

Primo ascolto.

1

Ascolta e rispondi.

	Vero	Falso
a. La Banca Nazionale è a destra dopo il semaforo.	☐	☐
b. L'autobus impiega 10 minuti per arrivarci.	☐	☐
c. L'autobus numero 30 porta alla Banca Nazionale.	☐	☐
d. L'autobus parte dalla stazione.	☐	☐

Secondo ascolto.

2

Verifica le tue risposte.

Terzo ascolto.

3

Ascolta e ripeti.

4

Quarto ascolto

Ascolta e completa.

Piero   Scusi, vorrei un'informazione.

Vigile   Sì, prego.

Piero   Sa dirmi _____ la Biblioteca Nazionale?

Vigile   Certo. Devi continuare per questa strada fino al prossimo _____ , poi devi girare a destra, in via Gramsci. All'incrocio _____ la prima a sinistra e poi la prima alla tua _____ , via Garibaldi. La biblioteca è proprio _____ al cinema Odeon, all'inizio della strada.

Piero   È lontano da qui?

Vigile   No, è abbastanza vicino. Ci _____ circa dieci minuti a piedi, ma se non vuoi camminare, puoi _____ l'autobus numero trenta, in piazza della Stazione.

Piero   No, no. Preferisco _____ Grazie mille.

Vigile   Di niente.

5

Un'immagine per una descrizione

Ascolta le descrizioni delle quattro piazze che vedi qui sotto e associale alle immagini.

PIAZZE D'ITALIA ...

PIAZZA DEL CAMPO
SIENA

PIAZZA SAN MARCO
VENEZIA

PIAZZA NAVONA
ROMA

PIAZZA DEL DUOMO
MILANO

Soluzione

DESCRIZIONE **1** _____   DESCRIZIONE **2** _____

DESCRIZIONE **3** _____   DESCRIZIONE **4** _____

Associazioni

Associa parole e immagini, poi verifica se le hai associate correttamente.

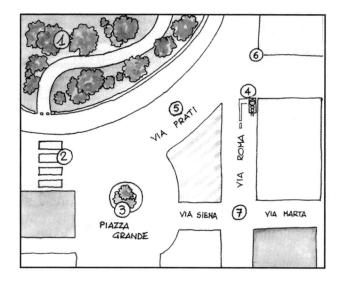

INCROCIO   **STRADA**   **PARCO**   **SEMAFORO**

ANGOLO   **PIAZZA**   **STRISCE PEDONALI**

Soluzione

1 _____   2 _____   3 _____   4 _____

5 _____   6 _____   7 _____

Percorsi

Descrivi al tuo compagno il percorso dell'autobus numero quindici fino al capolinea.

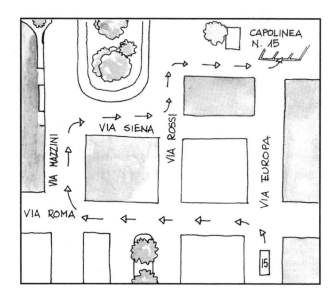

8

Scusi, può dirmi dov'è...?

a. Ascolta le indicazioni e scopri dove conducono.

b. Dai indicazioni per raggiungere:

L'UFFICIO POSTALE   **IL SUPERMERCATO**   **L'OSPEDALE**

LA BANCA   **IL TEATRO**

9

Seguire indicazioni

Ora il tuo compagno ti descrive un percorso. Seguilo e verifica se sei arrivato dove il tuo compagno voleva.

10

Leggere immagini

Che cosa fanno questi signori?

1.

2.

11

Risolvi

Osserva la piantina in alto e individua i luoghi in base alle seguenti informazioni:

a. È fra il teatro e il fruttivendolo. _____

b. È davanti alla biblioteca. _____

c. È accanto al cinema. _____

d. È dietro alla questura. _____

e. È alla fine di via Manzoni, davanti al parcheggio. _____

1. CAMBIO

3. INFORMAZIONI

2. ATTENDERE

Prima di ascoltare

0

Osserva le immagini e descrivile in italiano.

1 _____

2 _____

3 _____

Primo ascolto

1

Ascolta e rispondi.

a. Il cliente vuole cambiare gli euro in dollari.   Vero ☐   Falso ☐

b. Il cliente cambia 50 euro in biglietti da 10.   Vero ☐   Falso ☐

c. Il cliente è a Siena per lavoro.   Vero ☐   Falso ☐

d. Il cliente apre un conto corrente.   Vero ☐   Falso ☐

2

Secondo ascolto

Verifica le tue risposte.

3

Terzo ascolto

Ascolta e ripeti.

4

Quarto ascolto

Ascolta e riordina le azioni in base al testo orale.

a. Riempire un modulo.

b. Chiedere di aprire un conto.

c. Fare un'operazione di cambio.

d. Chiedere delle banconote da 10.

Soluzione

1 _____   2 _____   3 _____   4 _____

5

Quinto ascolto

Ascolta e completa.

Cliente	Buongiorno.		**Impiegato**	Certo. Quante?
Impiegato	Buongiorno.		*Cliente*	Mah, almeno cinque.
Cliente	Vorrei _____ dei dollari.		**Impiegato**	Ecco, queste sono dieci banconote da dieci.
Impiegato	Sì. Quanti?			
Cliente	Cinquecento.		...	
Impiegato	Me li dà, per favore?		*Cliente*	Senta, è possibile aprire un _____?
Cliente	Come?		**Impiegato**	Naturalmente. Lei ha la residenza in Italia?
Impiegato	I dollari...		*Cliente*	No, studio all'Università per Stranieri, starò a Siena per sei mesi.
Cliente	Ah sì, mi scusi. Eccoli.			
Impiegato	Grazie. Oggi il _____ è a 0,98. Ecco gli euro.		**Impiegato**	Allora può aprire un _____ al portatore.
Cliente	Bene.		*Cliente*	Va bene. Cosa devo fare?
...			**Impiegato**	Deve _____ questo modulo. Poi mi dà il passaporto, per favore.
Cliente	Scusi, potrei avere delle _____ da 10, per favore?			

6

Associazioni

Associa parole e immagini, poi verifica se le hai associate correttamente.

1. ASSEGNO

2. MONETE

3. BANCONOTE

Soluzione

1 _____   2 _____   3 _____

Creare un dialogo

7

Tu sei un cliente e il tuo compagno è un impiegato. Create un dialogo di almeno otto battute. Usate l'indicazione data qui sotto.

Il cliente vuole depositare mille euro sul suo libretto e chiede informazioni sul tasso di interesse.

Una situazione per un dialogo

8

Ascolta i tre dialoghi e associali alle situazioni.

a. Il cliente deposita del denaro.   **b.** Il cliente preleva del denaro.   **c.** Il cliente cambia del denaro.

Soluzione

1 _____   2 _____   3 _____

Il dialogo aperto

9

Completa il dialogo tra l'impiegato e il cliente.

Cliente	_____
Impiegato	Buongiorno a lei.
Cliente	_____
Impiegato	Sì. Qual è il numero del suo conto ?
Cliente	_____
Impiegato	Non importa se non lo ricorda. Mi basta il suo nome e cognome.
Cliente	_____
Impiegato	Adesso vediamo al terminale.

Investimenti

10

Ascolta il dialogo tra un impiegato di banca e un cliente che deve investire una grossa somma di denaro. Individua, fra quelle indicate, le proposte che l' impiegato fa al cliente.

AZIONI   **VALUTA ESTERA**

ORO   **QUADRI**   **IMMOBILI**

TITOLI DI STATO   **GIOIELLI**

11 Associazioni

Associa lettere e numeri, poi verifica se le hai associate correttamente.

1. Il cliente preleva denaro   **a.** per depositare

2. Il cliente cambia euro in dollari   **b.** per fare un acquisto

3. Il cliente riempie la distinta   **c.** per andare negli Stati Uniti

Soluzione

1 _____   2 _____   3 _____

12 Le quotazioni

Ascolta il listino dei cambi e scrivi la quotazione delle valute in euro.

Dollaro € _____   Sterlina € _____   Franco Sv. € _____

13 Completare

Ascolta il testo e completalo.

> ### FORME DI INVESTIMENTO
>
> In Italia molti _____ investono i propri risparmi in immobili, _____ , titoli di
> stato o gioielli. L'investimento in azioni è il più _____ , mentre i titoli di stato offrono
> maggiori _____ , anche se con un minore tasso di _____ .

ECCESSO DI VELOCITA'

1. LIMITE DI VELOCITA'   SEGNALE   POLIZIA STRADALE

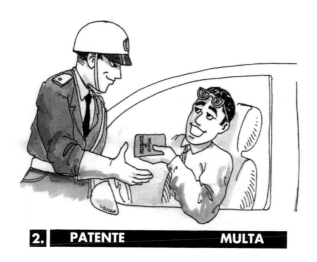

2. PATENTE   MULTA

Prima di ascoltare

0

Osserva le immagini e descrivile in italiano.

1 _____

2 _____

Primo ascolto

1

Ascolta e scegli la forma corretta.

a. L'automobilista mostra *la patente* / *la carta di identità* al poliziotto.

b. Il poliziotto controlla *i documenti* / *l'auto*.

c. L'automobilista guidava a una velocità *moderata* / *elevata*.

Secondo ascolto

2

Verifica le tue scelte.

3 Terzo ascolto

Ascolta e ripeti.

4 Quarto ascolto

Ascolta e completa.

Poliziotto	Buongiorno.
Automobilista	Buongiorno.
Poliziotto	Favorisca la _____ e il libretto di circolazione, per favore.
Automobilista	Ecco, la patente e questo è il libretto.
Poliziotto	Un momento, facciamo un _____
...	
Automobilista	Tutto bene?
Poliziotto	Tutto a posto... ha fretta?
Automobilista	No, perché?
Poliziotto	Stava andando ad una _____ eccessiva. Superava il limite.
Automobilista	Davvero? Non me ne sono _____ : sa, con questa macchina!
Poliziotto	Mi dispiace, ma devo farle la multa. Sono cento euro per _____ di velocità.
Automobilista	Oh no!
Poliziotto	Beh, le macchine _____ si pagano... in tutti i sensi!

5 Creare un dialogo

Tu sei l'automobilista e il tuo compagno è il poliziotto. Create un dialogo di almeno dodici battute. Usate le indicazioni date qui sotto.

POLIZIOTTO	AUTOMOBILISTA
patente	distratto
libretto di circolazione	vedere
multa	multa
stop	fretta
fermarsi	

ECCESSO DI VELOCITA'

Associazioni

Che cosa significano questi segnali? Associa lettere e numeri, poi verifica se li hai associati correttamente.

 A

 B

 **C**

 D

 E

1. Bisogna fermarsi e dare la precedenza.

2. Non si può parcheggiare perché c'è divieto di sosta.

3. Bisogna rallentare perché c'è una curva pericolosa.

4. Bisogna fare attenzione e rallentare perché c'è un incrocio.

5. Non si può superare la velocità di 70 chilometri all'ora perché c'è il segnale di limite di velocità.

Soluzione

A _____ B _____ C _____ D _____ E _____

Il dialogo aperto

7

Completa il dialogo tra il poliziotto e l'automobilista.

Poliziotto	Buonasera. Non ha visto il semaforo?
Automobilista	_____
Poliziotto	Lei è passato con il rosso.
Automobilista	_____
Poliziotto	Devo farle la multa.
Automobilista	_____
Poliziotto	No, non è possibile. Mi dispiace. Mi dia la patente e il libretto, intanto.
Automobilista	_____

8 Un incidente

Ascolta il dialogo tra due automobilisti, subito dopo un incidente. Chi ha causato l'incidente?

| ROMA 76545 P |
| MI Z 26511 |
| PA 808991 |
| AB 357 XJ |
| AA 079 KB |

9 E adesso provateci insieme!

Siete due automobilisti che hanno appena avuto un incidente.Cercate di chiarire chi è il responsabile. Poi, insieme, riempite il modulo per l'assicurazione. Osservate l'immagine dell'incidente.

NOME _____
COGNOME _____
LUOGO E DATA DI NASCITA _____
_____
RESIDENZA _____
MODELLO AUTOVETTURA _____
TARGA _____

NOME _____
COGNOME _____
LUOGO E DATA DI NASCITA _____
RESIDENZA _____
MODELLO AUTOVETTURA _____ TARGA _____

DINAMICA DELL'INCIDENTE _____
_____
_____
_____

FIRMA _____   FIRMA
_____

DATA _____

AL CINEMA

1. PLATEA   GALLERIA

2. POLTRONA   FILA

Prima di ascoltare

0

Osserva le immagini e rispondi.

a. Che cosa fanno i ragazzi prima di entrare nella sala cinematografica? _____

b. Quanto costa il biglietto? _____

c. Che tipo di film danno? _____

d. Dove si siedono? _____

Primo ascolto

1

Ascolta e scegli la forma corretta.

a. Mario e Serena scelgono di sedersi *in galleria* / *in platea.*

b. Il film non è ancora iniziato: c'è *molto* / *poco* da aspettare.

c. Si siedono *vicino* / *non molto vicino* allo schermo.

d. La critica è *favorevole* / *sfavorevole* al film.

e. Mario *vuole* / *non vuole parlare* con l'amica di Serena.

2 ## Secondo ascolto

Verifica le tue scelte.

3 ## Terzo ascolto

Ascolta e ripeti.

4 ## Quarto ascolto

Ascolta e completa.

Mario	Due in _____ , per favore.		Serena	Qui va bene?
Cassiere	Ecco, quattordici euro		*Mario*	Sì, va bene. C'è poca gente...
Mario	Grazie. Mi scusi, quando comincia il prossimo spettacolo?		Serena	Sì, pochissima ... speriamo che il film sia bello!
Cassiere	Fra poco, siamo alla fine... alle _____ e mezzo.		*Mario*	I _____ ne hanno parlato bene.
Mario	La ringrazio.		Serena	Guarda, Mario!
Cassiere	Di niente.		*Mario*	Dove?
...			Serena	Laggiù, nell'ultima _____. C'è Paola ... andiamo da lei?
Serena	Possiamo prendere un caffè, _____.		*Mario*	Oh no! Per favore stiamo qui. Non ho voglia di parlare con lei.
Mario	Sì, abbiamo una decina di minuti.		Serena	Lo sai che sei un _____ ? Vuoi sempre stare da solo ... ma perché?
...				
Serena	Dove ci sediamo?		*Mario*	Non lo so ... ecco, stai zitta, il film sta cominciando.
Mario	Per me è lo stesso. Forse al centro si vede meglio... non troppo vicino allo _____.			

5 ## Creare un dialogo

Tu sei il cassiere e il tuo compagno è uno studente che va al cinema. Create un dialogo di dodici battute. Usate le indicazioni date qui sotto.

FILM	BIGLIETTO	RIDOTTO	PLATEA

DURARE	SETTE	TESSERA UNIVERSITARIA	DUE ORE

STUDENTE	CASSIERE
_____	_____
_____	_____
_____	_____
_____	_____
_____	_____

Quale film è?

Lavorate in gruppo. Leggete la trama di alcuni film e scrivete il titolo nella casella giusta, in base al genere di film.

DRAMMATICO	
AVVENTURA	
STORICO	
SPIONAGGIO	
GIALLO	
COMMEDIA	

SHEENA REGINA

Narra le avventure di Sheena, capo di una pacifica tribù africana. Il re di uno Stato vicino è ucciso dal crudele fratello. Sheena riporterà la giustizia.

L'ALLEGRO FANTASMA

Un uomo molto ricco lascia un testamento dove indica come eredi due figli avuti con una ballerina di un circo. Il notaio li cerca, fra mille equivoci e scambi di persona esilaranti.

ALZATI SPIA

L'ex agente dei servizi segreti francesi vive tranquillamente, quando un giorno è richiamato dal suo Governo per risolvere un caso molto pericoloso.

LA CONQUISTA DEL PARADISO

Il film ricostruisce la storia di Cristoforo Colombo: un uomo generoso e ingenuo, in mezzo alla crudele realtà della guerra e della colonizzazione.

COME LE FOGLIE AL VENTO

Due amici, uno molto ricco e arrogante, l'altro tranquillo e riservato, si innamorano della stessa ragazza. Lei ama il primo, ma il suo carattere violento porta alla tragedia.

L'UOMO DI MEZZANOTTE

Un ex poliziotto trova lavoro come guardiano notturno in un collegio. Ma nell'istituto avviene un delitto. L'uomo lavora per scoprire l'assassino.

7 L'investigatore in azione

Ascoltate la trama di un film giallo, poi, lavorando in gruppi, cercate di scoprire l'assassino.

8 Il tuo film preferito

Riempi la scheda in base a un film che hai visto e che ti è piaciuto molto, poi parlane con i tuoi compagni.

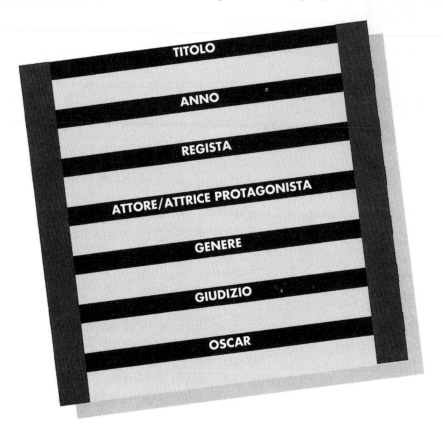

- TITOLO
- ANNO
- REGISTA
- ATTORE/ATTRICE PROTAGONISTA
- GENERE
- GIUDIZIO
- OSCAR

9 La storia infinita

Leggi l'inizio di un film dato qui sotto, continua la storia e poi lascia la parola al tuo compagno, fino a dare un finale al film.

Due amici, Lorenzo e Franca, laureati in medicina con il minimo dei voti, non riescono a trovare lavoro. Così decidono di trasformare una vecchia casa di campagna in una clinica per cure dimagranti...

INCONTRARE GENTE

1. **ASPETTARE**

3. **PASSEGGIATA**

2. **INCONTRARSI**

Prima di ascoltare

0

Osserva le immagini e descrivile in italiano.

1 _____

2 _____

3 _____

Primo ascolto

1

Ascolta e rispondi.

a. Claudia e Marta *si conoscono / non si conoscono*.

b. Sandra abita a Firenze da *un anno / due anni*.

c. Claudia e Sandra si sono conosciute *a Pistoia / a Firenze*.

d. Claudia è *annoiata / stanca*.

2 Secondo ascolto

Verifica le tue scelte.

3 Terzo ascolto

Ascolta e ripeti.

4 Quarto ascolto

Ascolta e completa.

Marta   Ciao, Claudia.

Claudia Ciao, Marta. _____ è Sandra.

Marta   Piacere.

Sandra   Piacere.

Claudia Che si fa?

Sandra   Facciamo due _____?

Claudia Va bene, andiamo. Hai una sigaretta, Marta?

Marta   No, ho smesso.

Sandra   Ce l'ho io, _____

...

Marta   Sei di Firenze, Sandra?

Sandra   No, sono di _____ Sto a Firenze da un anno, più o meno. Ho vinto un _____ alla Posta, e così ora vivo qui a Firenze.

Claudia Ci siamo conosciute un paio di mesi fa. Sono andata all'ufficio postale a ritirare una _____ Abbiamo fatto subito amicizia.

Sandra   Sì, una simpatia immediata... a volte suc-

cede. E tu, che fai?

Marta   Sono _____ Abito con i miei.

Claudia Perché non andiamo in un bar? Sono un po' stanca, non ho voglia di _____

Sandra   Per me va bene.

Marta   Anche per me. Conosco un locale carino, possiamo sentire musica e bere qualcosa. Conosco il _____ .

5 Creare un dialogo

Siete due amici che discutono su cosa fare la sera. Create un dialogo di almeno otto battute. Usate le parole date qui sotto.

AMICO 1	AMICO 2
DISCOTECA	CINEMA
APPUNTAMENTO	TELEFONARE
VEDERSI	INCONTRARSI

Che cosa fanno?

Ascolta i tre dialoghi e individua cosa fanno i personaggi.

	Sta a casa	Fa una passeggiata	Va al bar	Va a ballare
PIERO				
CINZIA				
LUCIA				

Dopo tanto tempo!

Ascolta il dialogo tra due amici. Riordina le immagini in base al dialogo.

A

B

C

D

Soluzione

1 _____   2 _____   3 _____   4 _____

Creare un dialogo

8

Siete due amici che si incontrano dopo tanto tempo. Create un dialogo di almeno otto battute. Usate le indicazioni date qui sotto.

AMICO 1	AMICO 2
Si è laureato da poco	Vive all'estero
Sta cercando un lavoro	Si è sposata due anni fa
Ha una ragazza	Non ha figli
Sta con i suoi	È in Italia in vacanza

9 Il dialogo interrotto

Francesco sta aspettando sua sorella. Per caso, incontra un amico, Luca. Lavorando in coppie, continuate il dialogo. Aggiungete almeno otto battute.

Luca	Francesco! Che fai qui?
Francesco	Ciao, Luca! Sto aspettando Elena. E tu?
Luca	Vado da Stefano. C'è una festa.
Francesco	Non lo sapevo. Chi c'è?
Luca	Non lo so. Penso che ci saranno diversi suoi amici.

_____

_____

10 Il dialogo aperto

Ascolta il dialogo, poi completa il testo seguente in modo simile a quello che hai ascoltato.

Silvio	Perché non andiamo in discoteca?
Pietro	C'è troppa _____
Silvio	Proprio per questo! Non ti piace vedere gente?
Pietro	Sì, ma _____

Silvio	Sì, va bene, possiamo andare al bar, se vuoi. Ma in quale bar?
Pietro	Perché non _____
Silvio	Quello dove siamo andati sabato scorso?
Pietro	Sì, _____

11 Che ne dici di...?

Proponi a un amico di andare a fare una gita. Lui rifiuta e propone una soluzione alternativa. Tu accetti questa seconda soluzione. Lavorate a coppie.

12 E adesso scrivi!

Per caso, in treno, hai incontrato una persona che ti ha colpito per la sua simpatia / bellezza / intelligenza. Scrivi una lettera a un amico e racconta questo incontro.

> *Bologna, 08/09/95*
>
> Caro Maurizio,
>   ti devo raccontare una cosa importante. Ieri mattina, in treno, ...
>
> *Un abbraccio, Luigi*

INVITARE AMICI

1. CAMPANELLO

2. ENTRARE

3. OFFRIRE

4. QUADRO

Prima di ascoltare

0

Osserva le immagini e descrivile in italiano.

1 _____   3 _____

2 _____   4 _____

Primo ascolto

1

Ascolta e rispondi.

a. Marco e Ilaria arrivano in orario.	Vero	☐	Falso	☐
b. È una giornata calda.	Vero	☐	Falso	☐
c. Luisa sta lavorando nel settore dei vini.	Vero	☐	Falso	☐
d. Luisa mostra agli amici un quadro antico.	Vero	☐	Falso	☐

Secondo ascolto

2

Verifica le tue risposte.

3 Terzo ascolto

Ascolta e ripeti.

4 Quarto ascolto

Ascolta e completa.

Luisa	Ciao, ragazzi!
Marco	Ciao, Luisa. Siamo in ritardo, scusa.
Luisa	Non vi preoccupate. Dai, entrate!
Ilaria	Grazie. Ecco, questi sono per te. So che ti _____ i tulìpani.
Luisa	Sono bellissimi. Grazie, ragazzi.
...	
Ilaria	Che bella casa!
Luisa	È piccola, ma per me va bene. L'ho _____ senza spendere molto. Datemi il cappotto.
Marco	Ecco, grazie. Questa è una _____ di Brunello.
Luisa	Grazie, non dovevi...
Marco	Ho sentito che sei una grande _____ di vini.
Luisa	Sì, prima mi occupavo di _____ ...

Venite, andiamo in salotto.

Ilaria	Guarda, Marco...
Luisa	Ti piace? L'ho preso in una galleria in centro.
Ilaria	Secondo me i _____ sono molto belli.
Marco	Sì. Di chi è?
Luisa	Di un _____ giovane, si chiama Nardi.
Ilaria	Che profumo, Luisa! Cosa hai _____ di buono?
Luisa	Fra poco lo vedrete... nulla di speciale... non sono una grande cuoca. Me la _____ Venite, venite in cucina.

5 Create un dialogo

Create un dialogo di almeno dieci battute. Seguite le indicazioni date qui sotto.

• HAI INVITATO UN'AMICA / UN AMICO A CENA.
• HAI CUCINATO UN PIATTO SPECIALE PER LEI / LUI.
• QUANDO LEI / LUI ARRIVA, TI OFFRE DEI CIOCCOLATINI
• E TI FA I COMPLIMENTI PER LA CENA.

6 Create un dialogo

Lavorando a coppie. Scegliete una fra le situazioni indicate e create un dialogo di almeno dieci battute.

a. Maria ha invitato un'amica a cena. L'amica arriva con un'ora di ritardo.

b. Luca ha invitato un amico a prendere un caffè da lui. All'ultimo momento si accorge che il caffè è finito.

c. Paola ha invitato il direttore del suo ufficio a prendere un tè da lei. Inaspettatamente, il direttore porta anche la figlia.

INVITARE AMICI

Una situazione per un dialogo

Ascolta i tre dialoghi e individua le situazioni corrispondenti.

a. Paolo ha sbagliato giorno / orario.

b. La signora si scusa per il disordine / il rumore.

c. L'invitato è imbarazzato per il suo abbigliamento / regalo.

Soluzione

1 _____   2 _____   3 _____

Cosa dici se...?

a. All'ultimo momento, la persona che hai invitato ti telefona per dirti che non può venire a cena?

b. All'ultimo momento, la persona che hai invitato ti telefona per chiederti se può portare un amico?

a _____

b _____

Analisi di un dialogo

9

Ecco un biglietto di invito a una festa di laurea. Individua l'ordine giusto delle frasi.

a. Ti aspetto.

b. Mi farebbe piacere averti alla mia festa.

c. Il giorno 24 aprile mi laureo.

d. L'appuntamento è per il giorno stesso, alle 21, al ristorante "Il veliero", Lungomare Vespucci 11/13.

Soluzione

1 _____   2 _____   3 _____   4 _____

Associazioni

Associa lettere e numeri, poi verifica se li hai accoppiati correttamente.

1. Ti invito a cena

2. La invitiamo alla inaugurazione

3. Ti invito a passare due giorni

a. nella nuova sede degli uffici.

b. nella mia casa al mare.

c. al ristorante.

Soluzione

1 _____   2 _____   3 _____

11 Una situazione per un dialogo

Ascolta i tre messaggi alla segreteria telefonica. Individua a quali situazioni si riferiscono.

A
- Matrimonio
- Compleanno
- Anniversario

B
- Inaugurazione della casa
- Rientro in Italia di un amico comune
- Partenza di un amico per il servizio militare

C
- Battesimo di un figlio
- Comunione di un figlio
- Laurea di un figlio

Soluzione

1 _____   2 _____   3 _____

12 Associazioni

Associa inviti e risposte corrispondenti, poi ascolta la cassetta per verificare le tue associazioni.

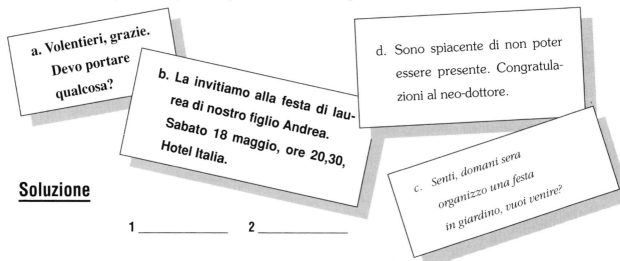

a. Volentieri, grazie. Devo portare qualcosa?

b. La invitiamo alla festa di laurea di nostro figlio Andrea. Sabato 18 maggio, ore 20,30, Hotel Italia.

d. Sono spiacente di non poter essere presente. Congratulazioni al neo-dottore.

c. Senti, domani sera organizzo una festa in giardino, vuoi venire?

Soluzione

1 _____   2 _____

13 Completare

Completa la lettera con le parole date qui sotto.

Caro papà,
ti scrivo per _____ alla festa per il mio _____.
Posso _____ un favore? Porta qualche bottiglia di vino.

A presto
Piero

1. COMPLEANNO

2. CHIEDERTI

3. INVITARTI

AUTOSTOP

1. FARE L'AUTOSTOP

3. CONOSCERSI

2. FERMARSI

Prima di ascoltare

Osserva le immagini e descrivile in italiano.

1 _____

2 _____

3 _____

Primo ascolto

Ascolta e rispondi.

a. L'autostoppista viene da Roma.　　　　　Vero ☐　　Falso ☐

b. L'automobilista non ha mai fatto l'autostop.　　Vero ☐　　Falso ☐

c. L'automobilista spende molto per la benzina.　　Vero ☐　　Falso ☐

2 Secondo ascolto

Verifica le tue risposte.

3 Terzo ascolto

Ascolta e ripeti.

4 Quarto ascolto

Ascolta e completa.

Autostoppista Vado verso Roma. Mi dà un passaggio?

Automobilista Sì, salga.

Autostoppista Grazie. Per fortuna si è fermato lei. Sono qui da più di mezz'ora.

Automobilista Metta la borsa sul _____ posteriore. Faccia attenzione al cagnolino.

Autostoppista Come? ... Ah! Non l'avevo visto. Carino!

Automobilista Ha due mesi. Lo sto portando dai miei _____ Io abito in città, non posso tenerlo in casa... Come si chiama?

Autostoppista Stefano.

Automobilista Io sono Carlo.

Autostoppista Piacere.

Automobilista Cosa fa, è in _____?

Autostoppista Sì, sto facendo un giro per l'Italia, vorrei arrivare in Sicilia. Mi piace fare l'auto-stop, si conosce un _____ di gente interessante.

Automobilista Anch'io, qualche anno fa, ho fatto un viaggio come il suo, ma non in Italia. Ero con la mia ragazza, in _____ Bei tempi!

Autostoppista Lei ha proprio una bella macchina!

Automobilista Dammi del _____ , va bene?

Autostoppista O.K. Va forte.

Automobilista Sì, è una macchina veloce. Più di duecento _____ Ma ci vogliono tanti soldi per mantenerla! Consuma molto.

Autostoppista Immagino. Posso _____ una cassetta?

Automobilista Certo, fai pure. Ti piace il rock?

Autostoppista Sì, molto.

5 Creare un dialogo

Sei un autostoppista e il tuo compagno è un automobilista. Create un dialogo di almeno dieci battute. Usate le indicazioni date qui sotto.

AUTOSTOPPISTA	AUTOMOBILISTA
a. Deve andare a Pisa.	**a.** Ha problemi di udito.
b. Ha molti bagagli.	**b.** Ha poco spazio in macchina.
c. Sta facendo una vacanza.	**c.** È laureato in legge.
d. Ha pochi soldi.	

Un'immagine per un dialogo

Ascolta il dialogo e inserisci le tre immagini negli spazi corrispondenti all'interno dell'auto.

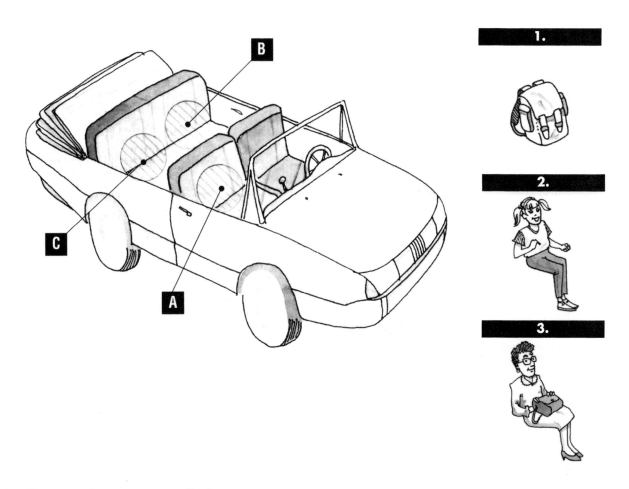

1.

2.

3.

Un'immagine per un dialogo

7

Ascolta il dialogo e segna il percorso che la ragazza ha seguito durante il suo viaggio in autostop.

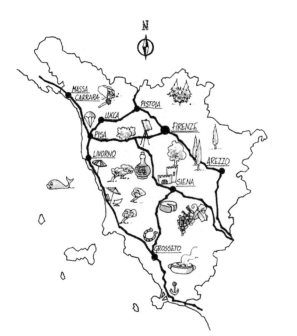

Associazioni

Associa lettere e numeri, poi verifica se li hai accoppiati correttamente. I numeri corrispondono a situazioni che possono capitare quando si fa l'autostop; le lettere corrispondono a frasi che l'autostoppista può dire in quelle situazioni.

2. L'AUTOMOBILISTA È MOLTO CURIOSO.

1. L'AUTOMOBILISTA FUMA.

4. IN MACCHINA FA TROPPO CALDO.

3. LA MACCHINA NON FUNZIONA BENE.

a. "Non ho molta fretta"

b. "Posso abbassare il finestrino?"

c. "Non riesce a smettere, vero?"

d. "Speriamo di arrivare!"

e. "Mi scusi, ho sonno. Potrei dormire per un po'?"

5. L'AUTOMOBILISTA GUIDA A UNA VELOCITÀ ECCESSIVA.

Soluzione

1 _____ 2 _____ 3 _____ 4 _____ 5 _____

REBUS

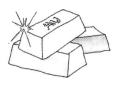 

Lav *in c*

Soluzione

_____

1. **SINTOMO**

2. **VISITARE**

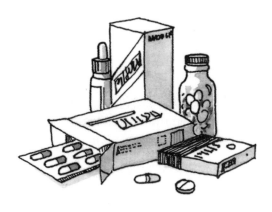

3. **MEDICINE**

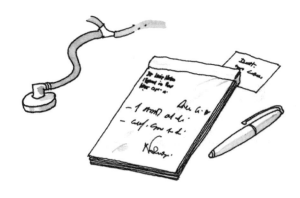

4. **RICETTA**

Prima di ascoltare

0

Osserva le immagini e descrivile in italiano.

1 _____ 3 _____

2 _____ 4 _____

Primo ascolto

1

Ascolta e rispondi.

1. La signora ha mal di testa tutto *il giorno* / *la sera.*

2. In questo periodo, la signora *lavora tanto* / *non lavora* in ufficio.

3. Il dottore consiglia *una dieta* / *riposo.*

Secondo ascolto

2

Verifica le tue risposte.

3 Terzo ascolto

Ascolta e ripeti.

4 Quarto ascolto

Ascolta e completa.

Medico Allora, signora, qual è il problema?

Paziente Ho mal di stomaco e _____ dottore.

Medico Da quanto tempo ha questi sintomi?

Paziente Mah, da una settimana, circa. Io _____ di gastrite, ma seguo sempre la dieta.

Medico Vediamo un po'. Si accomodi sul _____ , per favore. ... Sembra tutto a posto, signora. Ha mal di testa in questi giorni?

Paziente Sì, _____ la sera. Sa, in questo periodo lavoro molto, in ufficio e a casa, e sono stanchissima.

Medico Capisco. Le consiglio di prendere una _____ solo se il mal di testa è molto forte. Secondo me, lei ha bisogno soprattutto di _____ . I suoi sintomi sono tipici dello stress. _____ riposarsi un po'. Se poi continuerà ad avere mal di stomaco e mal di testa, allora faremo le _____

Paziente Va bene. Posso comprare le medicine per il mal di testa senza _____?

Medico Sì, certo. Non c'è bisogno della ricetta.

Paziente Bene. Grazie, dottore. Buongiorno.

Medico Buongiorno, signora.

5 Associazioni

Associa lettere e numeri, poi verifica se li hai associati correttamente.

1
A. SCIROPPO

2
C. CEROTTI

3
B. GARZA

4
D. SIRINGA

5
E. TERMOMETRO

Soluzione

1 _____   2 _____   3 _____   4 _____   5 _____

Analisi di un dialogo

Ricostruisci il dialogo fra il medico e la paziente.

1. Di niente.   *Medico* _____

2. Cosa devo fare?   **Paziente** _____

3. Non molto bene, purtroppo.   *Medico* _____

4. Devo prendere delle medicine?   **Paziente** _____

5. Qual è il problema?   *Medico* _____

6. Come si sente?   **Paziente** _____

7. Va bene, grazie.   *Medico* _____

8. Ho mal di gola e un forte raffreddore. **Paziente** _____

9. Deve stare a letto.   *Medico* _____

10. Sì, le consiglio un'aspirina prima di dormire. **Paziente** _____

11. Non molto alta: a trentasette e mezzo. *Medico* _____

12. È una leggera influenza, niente di grave. **Paziente** _____

13. Ha la febbre?   *Medico* _____

Creare un dialogo

7

Tu sei il medico e il tuo compagno è il paziente. Create un dialogo di dieci battute. Seguite le indicazioni date qui sotto.

MEDICO	PAZIENTE
1. SALUTA	**a.** RISPONDE AL SALUTO
2. SI INFORMA SULLA SALUTE	**b.** ESPONE IL PROBLEMA
3. ESPRIME LA DIAGNOSI	**c.** CHIEDE CONSIGLI
4. DA' CONSIGLI	**d.** RINGRAZIA
5. RISPONDE E SALUTA	**e.** RISPONDE AL SALUTO

Scrivere immagini

8

Scrivi il testo di questa barzelletta, poi confrontati con i tuoi compagni.

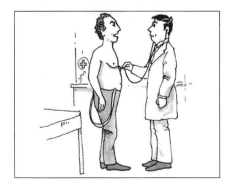

_____
_____
_____
_____
_____
_____
_____

E adesso provaci tu!

Immagina di essere un medico. Dai consigli al tuo paziente, nelle seguenti situazioni. Usa le parole date.

a. Il paziente ha un forte mal di denti.

b. Il paziente ha la febbre.

c. Il paziente ha la tosse.

d. Il paziente ha l'influenza.

e. Il paziente ha mal di gola.

DOLCI **FUMARE** **LETTO** **LATTE CALDO** **ASPIRINA**

a. _____

b. _____

c. _____

d. _____

e. _____

10

Creare una storia

Riordinate le immagini e create una storia lavorando in gruppo, poi confrontatevi con gli altri gruppi.

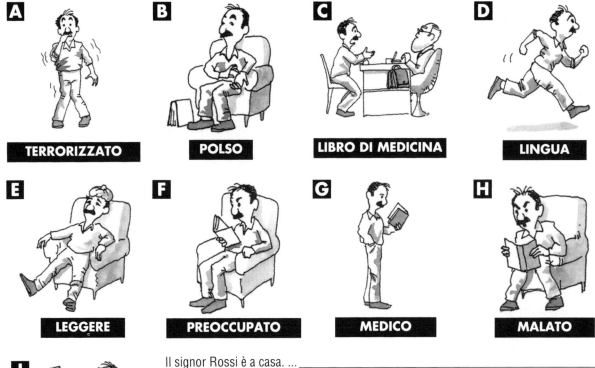

A TERRORIZZATO **B** POLSO **C** LIBRO DI MEDICINA **D** LINGUA

E LEGGERE **F** PREOCCUPATO **G** MEDICO **H** MALATO

I CORRERE

Il signor Rossi è a casa. ... _____

_____

_____

_____

_____

_____

IN GIRO PER LA CITTA'

1. PASSEGGIARE

2. PIAZZA

3. BAR

4. DUOMO

Prima di ascoltare

0

Osserva le immagini e descrivile in italiano.

1 _____   3 _____

2 _____   4 _____

Primo ascolto

1

Ascolta e rispondi.

a. Secondo Imma Piazza San Marco è molto più bella   Vero ☐   Falso ☐
di Piazza del Campo

b. La sede del Comune è un palazzo rinascimentale   Vero ☐   Falso ☐

c. All'interno del Palazzo Pubblico c'è la copia di   Vero ☐   Falso ☐
Fonte Gaia

2 ## Secondo ascolto

Verifica le tue risposte.

3 ## Terzo ascolto

Ascolta e ripeti.

4 ## Quarto ascolto

Ascolta e completa.

Francesca	Ecco, Imma, siamo arrivate. Questa è Piazza del _____ .	**Francesca**	Non lo so _____ , sarà cento metri, più o meno.
Imma	È bellissima!	**Imma**	Ci sediamo a prendere un po' di _____ ?
Francesca	Sì, per molti è la piazza più bella d'Italia.	**Francesca**	No, aspetta, dopo ti offro un cappuccino.
Imma	Beh, Francesca, e Piazza San Marco a Venezia, non è _____ ?	...	
Francesca	Certo, ma sono comunque molto diverse, no?	**Imma**	E questa _____ ?
...		**Francesca**	Si chiama Fonte Gaia, è solo una copia, l'_____ è dentro il Palazzo Pubblico. Magari domani andiamo a vederla.
Francesca	Quello, proprio davanti a noi, è il Palazzo Pubblico, la sede del Comune. È un palazzo _____ .		
Imma	Di che periodo è?	**Imma**	Volentieri. Sai, stamani, quando tu eri a scuola, sono andata a visitare il Duomo. È magnifico. La _____ è molto ricca. Sono rimasta un quarto d'ora a guardarla.
Francesca	Del 1300.		
Imma	Le finestre sono davvero splendide.		
Francesca	Hai ragione. E quella _____ è la Torre del Mangia.	**Francesca**	Hai visitato il _____ del Duomo?
Imma	Quanto è alta?	**Imma**	No, purtroppo era chiuso per _____ .
		Francesca	Peccato! Vieni, andiamo al bar.

5 ## Creare un dialogo

Tu e il tuo compagno visitate Piazza di Spagna a Roma.
Tu fai la guida al tuo compagno. Create un dialogo di almeno otto battute.
Seguite le indicazioni date qui sotto.

- Scalinata: 136 scalini
- Fontana di Pietro Bernini
- In cima alla scalinata: chiesa di Trinità dei Monti, del XVI secolo

Il dialogo aperto

Completa il dialogo fra Marco, un abitante di Firenze, e Giulio, un suo amico, in visita alla città.

Marco	Questo è Ponte Vecchio.
Giulio	_____
Marco	È del Medioevo. Qui ci sono le gioiellerie più famose di Firenze. Che ne dici? Ti piace?
Giulio	_____
Marco	Hai ragione. Infatti è uno dei luoghi più romantici della città. Vieni, ti porto a vedere

	Palazzo Pitti.
Giulio	_____
Marco	Esatto, il giardino di Boboli è proprio lì.
Giulio	_____
Marco	Ora non è possibile, è chiuso. Ci andiamo domani. Senti perché non andiamo a casa? Sono stanchissimo!

Un'immagine per un dialogo

7

Ascolta il dialogo e traccia l'itinerario percorso da una turista in visita a una città.

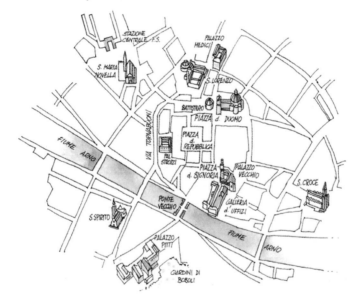

Associazioni

8

Associa ogni aggettivo ad una città, per quanto la conosci o per come la immagini. Discutine con i tuoi compagni, poi ascolta le proposte della cassetta.

A. SIENA   **1. caotica**   **B. PISA**   **6. industriale**

4. moderna   **C. SYDNEY**   **5. antica**   **F. LOS ANGELES**

D. ROMA   **2. tranquilla**   **E. DETROIT**   **3. piccola**

Soluzione

1 _____   2 _____   3 _____   4 _____   5 _____   6 _____

9

Il testo sparso

Ricostruisci il testo, poi ascoltalo e verifica se lo hai ricostruito correttamente.

a. Adesso vediamo in particolare. Cominciamo con la parte bassa del campanile. Ha una serie di piccole finestre, esattamente quattro.

b. Infine, nella parte alta si trova una sola finestra, molto grande, su ogni lato.

c. Ora vediamo il campanile. Qualche notizia generale, prima di iniziare la descrizione. È il campanile del Duomo di Firenze, progettato da Giotto nel 1300. È una torre quadrata, alta quasi 85 metri.

d. Nella parte centrale, invece, ci sono due grandi finestre su ogni lato della torre.

Soluzione

_____ _____ _____ _____

10

Creare un dialogo

Sei un turista e il tuo compagno è una guida. Create un dialogo di almeno dieci battute. Seguite le indicazioni date qui sotto.

STATUA: marmo; testa di donna; di Modigliani
TORRE: 55 metri; campane; 1173

11

Quale città?

Ascolta le descrizioni delle foto e scrivi il nome della città.

IN ALBERGO

1. PORTIERE

2. FIRMARE

3. CHIAVE

4. STANZA

Prima di ascoltare

0

Osserva le immagini e descrivile in italiano.

1 _____   3 _____

2 _____   4 _____

Primo ascolto

1

Ascolta e rispondi.

a. La signora ha prenotato la stanza per due persone.	Vero	☐	Falso	☐
b. La camera dà su una strada rumorosa.	Vero	☐	Falso	☐
c. Il prezzo della camera comprende la colazione.	Vero	☐	Falso	☐
d. Si può fare colazione fino alle dieci.	Vero	☐	Falso	☐
e. La signora porta le sue valigie in camera.	Vero	☐	Falso	☐

2 Secondo ascolto

Verifica le tue risposte.

3 Terzo ascolto

Ascolta e ripeti.

4 Quarto ascolto

Ascolta e completa.

Signora	Buongiorno. Sono la signora Marini.		per favore?
Receptionist	Buongiorno.	*Signora*	La patente va bene?
Signora	Ho _____ una stanza per due notti.	**Receptionist**	Sì, va benissimo.
		Signora	Una domanda. La prima _____ è inclusa?
Receptionist	Signora Marini... sì, esatto. Le abbiamo _____ la numero trentasei.	**Receptionist**	Certamente. È compresa nel prezzo. La _____ dalle sei, scusi, dalle sette alle dieci.
Signora	È una camera con bagno, vero?		
Receptionist	Certo, è una _____ con bagno e una bella vista. Dà proprio sul giardino.	*Signora*	Bene.
		Receptionist	Ecco la chiave.
Signora	Allora dovrebbe essere _____	*Signora*	A quale _____ è?
Receptionist	Senza dubbio. Non avrà certo problemi di rumore. Ecco. Dovrebbe fare una _____ qui, sul registro.	**Receptionist**	Al terzo. Può prendere l'ascensore lì a destra. Il ragazzo le porterà i _____ in camera.
Signora	Qui?	*Signora*	Grazie.
Receptionist	Esatto. E mi dà un _____,		

5 Creare un dialogo

Sei un cliente e il tuo compagno è l'impiegato della reception. Create un dialogo di almeno sei battute. Seguite le indicazioni date qui sotto.

CLIENTE	IMPIEGATO
Chiede informazioni sulla camera	Dà informazioni sulla camera.
Chiede informazioni sull'orario della prima colazione.	Dà informazioni sull'orario della prima colazione.
Chiede a quale piano si trova la stanza.	Dice a quale piano si trova la stanza.

Un'immagine per un dialogo

Ascolta la cassetta e inserisci le sei immagini negli spazi corrispondenti all'interno della stanza.

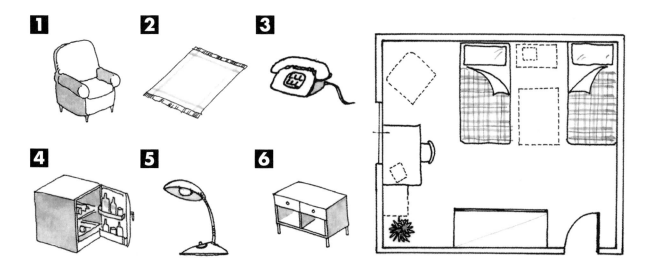

Analisi di un dialogo

7

Ricostruisci il dialogo fra la receptionist e un cliente.

Certo, vasca e doccia.	**Cliente** _____
È una camera doppia?	*Receptionist* _____
Al quinto.	**Cliente** _____
Sì, compresa nel prezzo.	*Receptionist* _____
Quanto costa?	**Cliente** _____
A quale piano è?	*Receptionist* _____
Sì, è uguale. Ha il bagno?	**Cliente** _____
No, è matrimoniale. Va bene lo stesso?	*Receptionist* _____
Con colazione?	**Cliente** _____
Centodieci euro.	*Receptionist* _____

Una prenotazione telefonica

8

Ascolta i tre dialoghi e completa la scheda.

	DURATA DEL SOGGIORNO	PERIODO	TIPO DI CAMERA
1.			
2.			
3.			

9

Una situazione per un dialogo

Ascolta i quattro dialoghi e individua le situazioni corrispondenti.

a. Il cliente non riesce ad aprire l'avvolgibile della finestra.

b. Il cliente si lamenta del letto.

c. La stanza è rumorosa.

d. Il cliente disdice la prenotazione.

Soluzione

1 _____ 2 _____ 3 _____ 4 _____

10

Cosa dici se...

a. Non puoi fare la doccia perché l'acqua è fredda? _____

b. In camera fa troppo caldo? _____

c. Vuoi svegliarti alle sei della mattina? _____

d. La tua camera è molto rumorosa? _____

11

Creare un dialogo

Sei l'impiegato della reception e il tuo compagno è un cliente. Create un dialogo al telefono di almeno sei battute. Seguite le indicazioni date.

CLIENTE
Cambia data del soggiorno: non più dal 15 al 18 aprile, ma dal 10 al 13.
Vuole una singola con bagno, non più una doppia.
Vuole la pensione completa, non più la mezza pensione

STANZE DISPONIBILI	
Doppia con bagno	10-16 aprile
Singola con bagno	11-12 aprile
Singola senza bagno	9-15 aprile

1. CAMERA

2. INDIRIZZO

3. CHIAVI

4. PRESENTARSI

Prima di ascoltare

0

Osserva le immagini e descrivile in italiano.

1 _____ 3 _____

2 _____ 4 _____

Primo ascolto

1

Ascolta e rispondi.

a. Miho aveva un appuntamento con la proprietaria dell'appartamento.   Vero ☐   Falso ☐

b. Miho deve dividere la camera con un'altra ragazza.   Vero ☐   Falso ☐

c. La proprietaria pagherà le bollette del gas.   Vero ☐   Falso ☐

d. Nell'appartamento c'è il telefono.   Vero ☐   Falso ☐

e. Miho paga subito.   Vero ☐   Falso ☐

2 Secondo ascolto

Verifica le tue risposte.

3 Terzo ascolto

Ascolta e ripeti.

4 Quarto ascolto

Ascolta e completa.

Signora	Buonasera, signorina. Io sono la signora Martini.
Miho	Piacere di conoscerla. Mi chiamo Miho. Miho Ueda. Sono in ritardo?
Signora	No, no. Prego, si _____ Parla molto bene l'italiano!
Miho	Grazie. Sono in Italia da due mesi.
Signora	Allora, le faccio vedere l'appartamento. Questa è la cucina.
Miho	È molto grande.
Signora	Sì, è anche luminosa. Di fronte c'è il _____, poi, in fondo al corridoio c'è il bagno, con vasca e doccia. E adesso le mostro la camera, venga.
Miho	È singola o _____?
Signora	È singola. Ecco, vede, c'è l'armadio e una scrivania.
Miho	Sì, mi piace. Quanto è l' _____ mensile, signora?
Signora	Quattrocentocinquanta.

Miho	Tutto compreso?
Signora	Sì, compreso il _____, l'elettricità, l'acqua calda e il gas per cucinare.
Miho	C'è una fermata dell'autobus vicino?
Signora	A duecento metri.
Miho	E il telefono?
Signora	In casa non c'è, ma c'è una _____ telefonica proprio qui sotto, accanto alla tabaccheria.
Miho	Benissimo. Mi piace. Lo prendo per sei mesi. Le posso fare un _____?
Signora	Certo. Grazie. E queste sono le chiavi: questa più grande è per il portone _____, questa è per la porta dell'appartamento e la più piccola per la cassetta della _____. Per qualunque problema, mi chiami. Le lascio il mio numero di telefono.
Miho	Grazie, signora.

5 Creare un dialogo

Sei il proprietario di un appartamento e il tuo compagno è uno studente che cerca un appartamento in affitto. Create un dialogo di almeno otto battute. Seguite le indicazioni date qui sotto.

AFFITTO: € 450 MENSILI. TUTTO COMPRESO.
BOLLETTA DEL TELEFONO: ESCLUSA DAL PREZZO.

CAMERA DOPPIA.

USO DI CUCINA.

FERMATA DELL'AUTOBUS A CENTO METRI.

6

C'è un posto letto libero?

Ascolta i tre dialoghi fra uno studente che cerca un appartamento e la segretaria dell'università. Completa la scheda.

	UBICAZIONE	CAMERA	AFFITTO
1.			
2.			
3.			

7

E adesso provaci tu!

Osserva i seguenti annunci. Scrivine uno simile dove spieghi che cerchi una ragazza per dividere la stanza.

Cercasi ragazzo/a per dividere minipppartamento in centro. Telefonare ore pasti a Silvia Bianchi. Tel. 02 5579032

Cerco urgentemente posto letto anche in periferia. Esclusivamente camera singola. Telefonate prima delle 8.30 la mattina a Roberto. Tel.: 049.280.492

Cerco monolocale non lontano dal centro. Lasciare messaggio alla Segreteria dell'Università per Gianni Franchi.

Cerco ragazza (soltanto!) per dividere camera doppia in appartamento vicinissimo al centro. Telefonate la sera a Patricia: tel. 06.22.35.26

Vuoi dividere l'appartamento con me? Se sei interessato/a, telefona allo 055.52.614 dalle 22.00 in poi e chiedi di Michelle.

8

Un'immagine per un dialogo

L'impiegato di un'agenzia immobiliare descrive un appartamento a un cliente. Ascolta il dialogo e disegna la piantina.

Cerchi casa?

Osserva gli annunci. Quale casa può andare bene per te se...

a. Non hai la macchina?

b. Vuoi l'uso di cucina?

c. Non vuoi dividere la camera con nessuno?

1.

AFFITTASI Camera doppia in casa di campagna a 5 km dalla città. Uso di cucina. Tel. 075 740032

2.

AFFITTASI Miniappartamento centrale zona Duomo. Tel. 02 2504921

3.

AFFITTASI Camera singola in famiglia. Appartamento centro città. Senza uso di cucina. Tel. 0577 282816

Soluzione

_____   _____   _____

10

Indovina!

Scegli una delle seguenti case e descrivila. I tuoi compagni devono individuare quale casa descrivi.

11

Una situazione per un dialogo

Ascolta i tre dialoghi fra il proprietario di un appartamento e l'affittuario. Individua le situazioni corrispondenti.

a. La caldaia del riscaldamento non funziona.

b. Il proprietario rimprovera l'affittuario perché fa troppa confusione.

c. L'affittuario si lamenta perché non può usare il telefono.

Soluzione

1 _____   2 _____   3 _____

TEMPO LIBERO

1. SPORT

2. TELEVISIONE

3. LETTURA

4. GIARDINAGGIO

Prima di ascoltare

0

Osserva le immagini e descrivile in italiano.

1 _____   3 _____

2 _____   4 _____

Primo ascolto

1

Ascolta e rispondi.

a. Lia e Fabio decidono di stare a casa nonostante
  il bel tempo.   Vero ☐   Falso ☐

b. Il terzo canale trasmette un incontro di calcio.   Vero ☐   Falso ☐

c. A Fabio piace lo sport.   Vero ☐   Falso ☐

d. A Fabio non piace Retequattro perché
  c'è troppa pubblicità.   Vero ☐   Falso ☐

e. Lia e Fabio decidono di guardare la partita.   Vero ☐   Falso ☐

2 ## Secondo ascolto

Verifica le tue risposte.

3 ## Terzo ascolto

Ascolta e ripeti.

4 ## Quarto ascolto

Ascolta e completa.

Lia	Fabio, che si fa stasera?		una stazione, con un giovane _____ .
Fabio	Non so, Lia, ma con questo tempo è meglio restare a casa.	**Fabio**	C'è qualcos'altro sugli altri canali?
Lia	Hai ragione. Si potrebbe guardare un po' la televisione.	*Lia*	Sul terzo c'è la partita del Milan, la _____ di Coppa Italia, su canale 5 c'è il solito quiz, "La ruota della fortuna".
Fabio	Cosa c'è stasera?	**Fabio**	No, quello non mi piace. Ci possiamo guardare la partita. Ti _____ ?
Lia	Non lo so... aspetta, guardo sul _____		
Fabio	È lì, sulla poltrona.	*Lia*	Non molto. Lo sai, lo sport non mi piace per niente. Preferirei un film... aspetta, su Rete 4 c'è un film americano, un _____ . Perché non si guarda quello?
Lia	Ah, sì... allora, oggi è giovedì... ecco, sul _____ c'è un film italiano, di Rubini.		
Fabio	Quale?	**Fabio**	Il problema è che c'è troppa _____
Lia	"La stazione".	*Lia*	Dai, fammi contenta, per una volta!
Fabio	C'è la trama?	**Fabio**	E va bene. Allora, mentre si guarda il film io mi _____ la partita.
Lia	Sì, _____ di una ragazza che perde l'ultimo treno della sera e passa la notte in		

5 ## Creare un dialogo

Tu e il tuo compagno siete amici. Decidete di passare la serata a casa, davanti al televisore. Mettetevi d'accordo su cosa guardare. Create un dialogo di almeno dieci battute. Seguite le indicazioni date qui sotto.

AMICO 1	AMICO 2
Ama i vecchi film americani	Non sopporta i film
Le/gli piace la musica	Le/gli piace lo sport
Non ama i quiz.	Ama i documentari

_____
_____
_____
_____
_____
_____

TEMPO LIBERO

Che cosa fanno?

Osserva le immagini e descrivi come queste persone trascorrono il tempo libero.

| MAURIZIO | ESTER | VITTORIO | PIETRO | LUCIA |

Come passano il tempo libero?

Ascolta il dialogo e riempi la scheda.

	TELEVISIONE	TEATRO	GIARDINAGGIO	LETTURA	CARTE	CINEMA
MARCO						
LARA						

Analisi di un dialogo

Ricostruisci il dialogo fra Andrea e Cinzia.

- Ah, ciao, Andrea. Dimmi.

- Perfetto. A stasera.

- Senti, sei libera stasera?

- Volevo chiederti se vieni a casa di Roberto. Facciamo una partita a carte.

- Ciao, sono Andrea.

- Bene, allora ci vediamo da Roberto alle nove e mezzo.

- A carte? Oh no! Lo sai che non gioco volentieri!

- Cinzia?

- Sì, perché?

- Pronto?

- Ciao.

- Beh, quello sì. Allora vengo.

- Ma ci sono anche Carla e Laura che non giocano. Penso che vogliano continuare a fare il puzzle e so che a te piace molto.

- Sì, sono io. Chi parla?

Soluzione

Cinzia _____

Andrea _____

Cinzia _____

Andrea _____

Cinzia _____

Andrea _____

Cinzia _____

Andrea _____

Cinzia _____

Andrea _____

Cinzia _____

Andrea _____

Cinzia _____

Andrea _____

Un'immagine per un dialogo

Ascolta alcune persone che parlano del loro tempo libero. Associale alle immagini e scrivi perché amano queste attività.

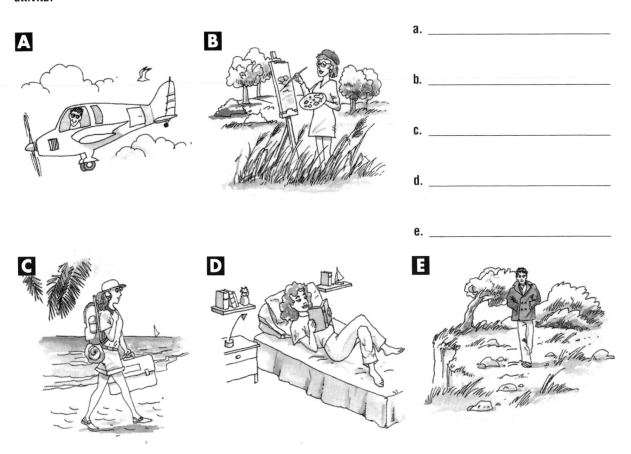

A

B

a. _____

b. _____

c. _____

d. _____

e. _____

C

D

E

10 Cosa ne pensi?

Esprimi un giudizio sulle attività che ti proponiamo e confrontalo con quello dei tuoi compagni. Aiutati con le parole date.

DIPINGERE   istruttivo   GUARDARE LA TV   rilassante

FARE GITE   FARE SPORT   interessante   SCRIVERE

divertente   FARE PASSEGIATE IN CAMPAGNA   creativo

STARE CON AMICI   noioso   ASCOLTARE MUSICA

faticoso   FARE FOTO   passivo   LEGGERE

DAL PARRUCCHIERE

1. PETTINARE

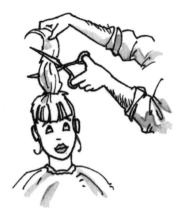

2. TAGLIARE

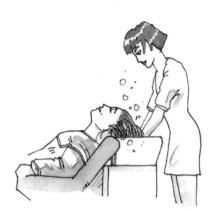

3. LAVARE

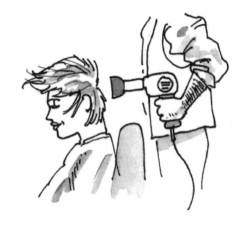

4. ASCIUGARE

Prima di ascoltare

0

Osserva le immagini e descrivile in italiano.

1 _____   3 _____

2 _____   4 _____

Primo ascolto

1

Ascolta e rispondi.

a. La signora non vuole capelli troppo corti. Vero ☐ Falso ☐

b. Il parrucchiere lava i capelli alla signora. Vero ☐ Falso ☐

c. Il parrucchiere trova che i capelli della signora Vero ☐ Falso ☐
sono in ottimo stato di salute.

d. La signora è soddisfatta del taglio. Vero ☐ Falso ☐

e. Il parrucchiere consiglia alla signora di lavarsi Vero ☐ Falso ☐
i capelli più spesso.

2 Secondo ascolto

Verifica le tue risposte.

3 Terzo ascolto

Ascolta e ripeti.

4 Quarto ascolto

Ascolta e completa.

Parrucchiere Allora, signora, come li tagliamo questi capelli?

Signora Senta, ho voglia di cambiare un po', questa volta.

Parrucchiere Che ne dice di un _____ corto? Ma-
gari, guardi, in questa rivista ci sono diver-
si tagli alla moda.

Signora Mi faccia vedere... belli, sì sono tutti belli.
Questo mi piace moltissimo. Ma forse per
me sono troppo _____ .

Parrucchiere No, io penso che sia perfetto per lei. Ma-
gari tagliamo anche la _____

Signora D'accordo. Allora può cominciare.

Parrucchiere Sì, prima, però, vada con la ragazza a fare
lo shampoo.

...

Parrucchiere Prego, si accomodi. Sono un po'
_____ , sa?

Signora Davvero? In effetti ne perdo molti.

Parrucchiere Se vuole possiamo fare un _____
con una fiala a base di vitamine.

Signora Benissimo.

...

Parrucchiere Allora, come le sembrano?

Signora _____

Parrucchiere Aspetti, prendo uno specchio... ecco,
guardi, _____ le vanno bene?

Signora Sono proprio come li volevo.

Parrucchiere Mi _____ , non li lavi troppo spesso!

5 Creare un dialogo

**Sei un cliente e il tuo compagno è il parrucchiere. Create un dialogo di almeno otto battute. Seguite le indicazioni
date qui sotto.**

CLIENTE	PARRUCCHIERE
Vuole tagliarsi i capelli	Consiglia di consultare una rivista.
Chiede consigli sul tipo di taglio	Consiglia un taglio.
Chiede un parere sullo stato dei suoi capelli	Dà parere negativo
Chiede consigli sulla cura	Chiede consigli sulla cura

DAL PARRUCCHIERE

Descrivere immagini

Descrivi le immagini usando le parole date.

 **FON**

 SPAZZOLA

 FERRO

 **SPRAY FISSATIVO**

 **PENNELLO**

 **FORBICI**

 **CASCO**

 **BIGODINI**

 **PETTINE**

 **RASOIO**

Una situazione per un dialogo

Ascolta i quattro dialoghi e associali alle situazioni corrispondenti.

a. La signora si lamenta perché i capelli risultano troppo corti.

b. La cliente trova che i capelli siano troppo ricci.

c. Il parrucchiere consiglia alla cliente di fare la tintura.

d. La cliente si lamenta perché ha speso molto.

TAGLIO:	
UOMO	€ 13,00
DONNA	€ 20,00
SHAMPOO:	
UOMO	€ 12,00
DONNA	€ 16,00
TINTURA:	€ 22,00
PERMANENTE	€ 30,00
MÈCHES:	€ 45,00

Soluzione

_____ _____ _____ _____

Chi sono?

Ascolta le descrizioni e scrivi i nomi dei personaggi sotto le immagini corrispondenti.

1

2

3

4

5

9

Cosa chiedi al parrucchiere se...

a. Hai i capelli troppo lisci? _____

b. La frangia è troppo lunga? _____

c. Hai i capelli molto secchi? _____

d. Ti danno fastidio i primi capelli bianchi? _____

e. Non sai come tagliare i capelli? _____

10

Come sono?

Descrivi i personaggi.

A

B

C

D

E

F

a. _____

b. _____

c. _____

d. _____

e. _____

f. _____

11

Quali scegli?

Per ogni situazione, scegli uno dei prodotti. Confronta le tue scelte con quelle dei tuoi compagni.

a. Vuoi lavare i capelli ad un bambino.

b. Perdi molti capelli.

c. Vuoi ammorbidire i capelli dopo lo shampoo.

d. Hai la cute molto secca

e. Hai i capelli secchi.

ALL'AEROPORTO

1. BAGAGLI

2. PASSAPORTO

3. DUTY-FREE SHOP

4. USCITA

Prima di ascoltare

0

Osserva le immagini e descrivile in italiano.

1 _____

3 _____

2 _____

4 _____

Primo ascolto

1

Scegli la giusta alternativa.

1. Appena arrivati all'aeroporto,Cinzia e Alberto

a. *fanno il controllo dei passaporti*   **b.** *imbarcano i bagagli.*   **c.** *vanno al bar.*

2. Il loro aereo porta

a. *undici minuti di ritardo*   **b.** *quaranta minuti di ritardo.*   **c.** *venti minuti di ritardo.*

3. Prima di andare alle partenze,

a. *vanno al duty-free shop.*   **b.** *comprano le sigarette.*   **c.** *fanno il controllo del passaporto.*

4. Cinzia e Alberto devono andare

a. *all'uscita 21.*   **b.** *all'uscita 31.*   **c.** *all'uscita 32.*

5. Cinzia è arrabbiata perché Alberto ha perso

a. *la carta di sbarco.*   **b.** *il passaporto.*   **c.** *la carta d'imbarco.*

2 Secondo ascolto

Verifica le tue risposte.

3 Terzo ascolto

Ascolta e ripeti.

4 Quarto ascolto

Ascolta e completa.

Cinzia	Guarda quanta gente al check-in!		sì possiamo andare alle partenze. Vorrei anche comprare una _____ di sigarette al duty-free.
Alberto	Che facciamo, Cinzia? Andiamo a prendere un caffè?		
Cinzia	Sarebbe meglio mettersi in fila, Alberto. Non ho voglia di portarmi dietro tutti questi _____ Ci andiamo dopo, al bar.	*Cinzia*	Le puoi prendere in aereo, no?
		Alberto	È lo stesso.
...		*Altoparlante*	Alitalia. I _____ in partenza per Praga con il volo AZ 729 sono pregati di portarsi _____ 32.
Hostess	Il biglietto, per favore.		
Cinzia	Eccolo.	*Cinzia*	Ci siamo. È il nostro. Prepara la _____ d'imbarco.
Hostess	Bene. Anche quella borsa?		
Cinzia	No. Quella no. È il mio bagaglio a _____	**Alberto**	Aspetta... dovrebbe essere in tasca, con il passaporto.
...		*Cinzia*	Allora? L'hai trovata?
Alberto	Quanto manca alla partenza?	**Alberto**	No, non c'è. Non ce l'hai tu, per _____?
Cinzia	Meno di mezz'ora, ma ancora non hanno _____ il nostro volo. Chissà perché!	*Cinzia*	No, io ho la mia!
Alberto	Volevi sapere perché? Ecco, guarda! L'aereo per _____ delle undici e venti ha quaranta minuti di ritardo.	**Alberto**	Accidenti! Ma dove l'ho messa?
		Cinzia	E ora? Sei sempre il solito. Cerca di trovarla alla _____, perché io, quell'aereo, lo prendo, con o senza di te!
Cinzia	Uffa! Mai una volta in _____ !		
Alberto	Senti, facciamo il controllo passaporti, co-		

5 Creare un dialogo

Tu e il tuo compagno siete due amici. Create un dialogo di almeno sei battute. Seguite le indicazioni date qui sotto.

ALL'AEROPORTO

AMICO 1	AMICO 2
Sta per partire per Los Angeles	Spiega cosa si fa all'aeroporto prima di prendere l'aereo
Non è mai stato in un aeroporto	
Chiede cosa si fa all'aeroporto prima di prendere l'aereo	

Una situazione per un dialogo

6

Ascolta i quattro dialoghi e associali alle situazioni corrispondenti.

a. C'è uno sciopero dei controllori di volo.

b. Il volo è stato soppresso a causa del maltempo.

c. Il signore ha perso l'aereo.

d. La signora ha smarrito le valigie.

Soluzione

DIALOGO **1** _____   DIALOGO **2** _____   DIALOGO **3** _____   DIALOGO **4** _____

Lavorate in gruppo

7

Che cosa dovrebbe principalmente fornire una compagnia aerea? Confrontatevi con gli altri gruppi e aggiungete altri requisiti, se lo ritenete necessario.

a. Poltrone comode in aereo. ☐ _____

b. Ottima qualità del cibo. ☐ _____

c. Costi moderati. ☐ _____

d. Personale di bordo gentile. ☐ _____

e. Puntualità. ☐ _____

f. Frequenti controlli agli aerei. ☐ _____

8 Una situazione per un dialogo

Osserva il programma di volo di una hostess, poi ascolta i cinque dialoghi e individua a quali situazioni del programma si riferiscono.

ALITALIA   VOLO AZ 746   ROMA - TEL AVIV

10.20   Ritirare carte d'imbarco
10.35   Imbarco
10.40   Saluto ai passeggeri
10.50   Controllo cinture
11.00   Dimostrazione maschere ossigeno
11.05   Decollo
11.30   Bevande
12.00   Pranzo
12.40   Ritiro vassoi

13.00   Prodotti duty-free
13.30   Atterraggio

Soluzione

DIALOGO **1** _____   DIALOGO **2** _____   DIALOGO **3** _____   DIALOGO **4** _____   DIALOGO **5** _____

9 Analisi di un dialogo

Ricostruisci il dialogo fra l'ufficiale di dogana e il passeggero.

- Non ha alcolici?

- No, niente.

- Solo una.

- Qualcosa da dichiarare?

- Sì, veramente ho comprato dell'whisky.

- Ho due stecche di sigarette.

- Quante bottiglie?

- Va bene. Niente cibo o prodotti deperibili?

- Va bene. Prego.

UFFICIALE		PASSEGGERO	
1		2	
3		4	
5		6	
7		8	
9			

10 Discutete

A coppie, organizzate un viaggio e poi parlatene ai vostri compagni. Potete scegliere fra le seguenti situazioni:

a. Siete una coppia.   **b.** Siete due amici al di sotto dei 24 anni.   **c.** Siete due amici al di sopra dei 60 anni.

FARE SPORT

1. ISCRIZIONE

2. SPOGLIATOIO

3. ESERCIZI

4. DOCCIA

Prima di ascoltare

0

Osserva le immagini e descrivile in italiano.

1 _____

2 _____

3 _____

4 _____

Primo ascolto

1

Scegli la giusta alternativa.

1. La ragazza si iscrive

   a. *a una palestra*

   b. *alla piscina*

   c. *a un corso di danza*

2. La ragazza vuole fare esercizio fisico per

   a. *sviluppare i muscoli del torace*

   b. *perdere peso*

   c. *sviluppare i muscoli delle gambe*

3. La ragazza ha smesso di fare nuoto perché

   a. *non le piaceva*

   b. *era troppo faticoso*

   c. *aveva problemi di salute*

4. L'istruttore le consiglia di

   a. *non sudare*

   b. *non affaticarsi troppo*

   c. *non fare stretching*

2 Secondo ascolto

Verifica le tue scelte.

3 Terzo ascolto

Ascolta e ripeti.

4 Quarto ascolto

Ascolta e completa.

Istruttore	Ciao!
Sandra	Ciao. È la prima volta che vengo, sai dov'è lo _____?
Istruttore	È lì, quella porta a destra. A sinistra, invece, ci sono le docce.
Sandra	Grazie. E, scusa, per l'iscrizione?
Istruttore	Non l'hai ancora fatta?
Sandra	No, non ancora.
Istruttore	Hai il _____ medico?
Sandra	Sì, l'ho portato.
Istruttore	Bene. Sono quaranta euro al mese, si paga entro il cinque di ogni mese.
Sandra	Sì, ecco i soldi.
Istruttore	Grazie. Ci vediamo dopo.
...	
Istruttore	Di che cosa hai bisogno, in particolare?
Sandra	Vorrei dimagrire un po': soprattutto perdere questa _____ orribile.
Istruttore	Ho capito. Adesso ti preparo degli _____ specifici. Ricordati di fare dieci minuti di stretching

all'inizio e alla fine, per _____ i muscoli. Hai fatto sport in passato?

Sandra Ho fatto nuoto per alcuni mesi, poi ho smesso perché avevo problemi alla schiena. L'anno scorso mi sono iscritta a un corso di _____ per tre mesi.

Istruttore Ho capito. Bene. Puoi cominciare. Stai attenta a non esagerare la prima volta. Un'ora basterà. Iniziamo con esercizi per gli _____, poi facciamo i dorsali, i pettorali e infine le _____. Vieni, ti faccio vedere.

...

Istruttore Allora?

Sandra Sono stanca, ma sto bene. Senti, il _____ l'ho lasciato vicino allo specchio: non so dove devo metterlo.

Istruttore Ci penso io. Va' a farti la doccia, sei sudata! Ci vediamo fra due giorni. E mi raccomando: non fumare!

5 Cosa fanno?

Descrivi le immagini.

FARE SPORT

 A B  C  D  E

Creare un dialogo

6

Vuoi iscriverti a una palestra. Il tuo compagno è l'istruttore. Create un dialogo di almeno otto battute. Seguite le indicazioni date qui sotto.

RAGAZZO/A	ISTRUTTORE/ISTRUTTRICE
Costo dell'iscrizione	Costo dell'iscrizione
Orario della palestra	Orario palestra
Motivo dell'iscrizione	Certificato medico
	Attività sportiva precedente

Caccia agli errori

7

Individua l'errore presente in ogni immagine, poi confrontati con i tuoi compagni.

TENNISTA		GUANTONI	PINNE
	CALCIATORE		
PATTINATRICE		CICLISTA	NUOTATORE
RACCHETTA	MAGLIA		PATTINI

8

Quali sport praticano?

Ascolta il dialogo e riempi la scheda.

	CARLO	LINDA	MARTA	PINO
CALCIO				
TENNIS				
NUOTO				
PALLAVOLO				
SCI				
BODY BUILDING				
GOLF				

9

Create un dialogo

Tu e il tuo compagno volete fare un regalo ad un amico. Costruite un dialogo di almeno otto battute. Scegliete una delle seguenti possibilità e aiutatevi con le parole date.

a. Il vostro amico gioca a tennis.

Racchetta / scarpe da tennis / fascia

b. Il vostro amico gioca a calcio.

pallone / pantaloncini / calzettoni

c. Il vostro amico pratica il nuoto.

cuffia / costume / occhialini

d. Il vostro amico fa body building.

tuta da ginnastistica / guanti / cintura

10

Radiocronache sportive

Ascolta le radiocronache di alcune gare sportive. Scrivi il numero della radiocronaca accanto allo sport corrispondente. Confrontati con i tuoi compagni.

PALLACANESTRO   radiocronaca_____
CALCIO   radiocronaca_____
TENNIS   radiocronaca_____
NUOTO   radiocronaca_____
BOXE   radiocronaca_____

DAL MECCANICO

1. RUOTA DI SCORTA

2. CRIC

3. AUTOMOBILE

4. FORARE

Prima di ascoltare

0

Osserva le immagini. Riordinale e descrivile in italiano.

1 _____   3 _____

2 _____   4 _____

Primo ascolto

1

Ascolta e rispondi.

a. La macchina è finita fuori strada.	Vero	☐	Falso	☐
b. Nessun guasto è stato segnalato dalla spia.	Vero	☐	Falso	☐
c. L'ABS serve a bloccare i freni.	Vero	☐	Falso	☐
d. Il cliente pensa che il guasto dipenda dall'olio del motore.	Vero	☐	Falso	☐
e. Il meccanico controllerà la frizione.	Vero	☐	Falso	☐

2

Secondo ascolto

Verifica le tue risposte.

3

Terzo ascolto

Ascolta e ripeti.

4

Quarto ascolto

Ascolta e completa.

Cliente	Ero in autostrada, a un certo punto si è bloccata la ruota anteriore destra e l'auto ha _____ . Per fortuna non è successo niente di grave, ma ci siamo presi un bello spavento.
Meccanico	È successo solo una volta?
Cliente	No, è risuccesso altre volte, ma di rado.
Meccanico	Si è accesa qualche spia?
Cliente	No, mai.
Meccanico	Mah, dobbiamo controllare... Credo che dipenda dalla _____ dell'ABS.
Cliente	Cioè?
Meccanico	È un sistema che oggi hanno tutte le auto e che serve per migliorare la qualità della _____ , ma a volte dà dei problemi.
Cliente	Senta, la devo lasciare qui?

Meccanico	Sì. Non posso _____ subito, siamo pieni di lavoro. Torni domani sera.
Cliente	Bene. La chiavi sono nel _____ . Le volevo dire se può controllare anche il livello dell'olio del _____ e se dà un'occhiata al catalizzatore.
Meccanico	Sì, facciamo una verifica generale. Vediamo anche la _____ e il cambio.
Cliente	Certo. È meglio controllare tutto. Allora passo domani sera.
Meccanico	Sì, ma prima telefoni, per sicurezza... sa a volte i pezzi di _____ non sono disponibili subito.
Cliente	Va bene, ci sentiamo prima. Arrivederci.
Meccanico	Arrivederla.

5

Creare un dialogo

Tu sei il meccanico e il tuo compagno è il cliente. Costruite un dialogo di almeno otto battute. Seguite le indicazioni date qui sotto.

CLIENTE	MECCANICO
Macchina guasta	Chiede informazioni sul tipo di problema
Freni difettosi	Propone di fare un controllo
Si informa sul tempo necessario per il controllo	Ha molto lavoro in questo periodo

6

Associazioni

Associa lettere e numeri.

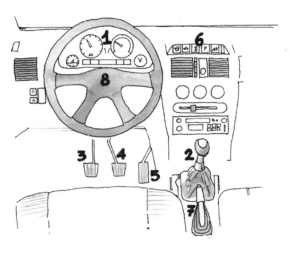

A. FRENO A MANO

B. FRIZIONE

C. CRUSCOTTO

D. FRENO

E. ACCELERATORE

F. VOLANTE

G. CAMBIO

H. SPIA

Soluzione

A _____   B _____   C _____   D _____   E _____   F _____   G _____   H _____

Un'immagine per un dialogo

7

Ascolta i quattro dialoghi e associali alle immagini.

A

B

C

D

Soluzione

DIALOGO **1** ____   DIALOGO **2** ____   DIALOGO **3** ____   DIALOGO **4** ____

8 Associazioni

La tua macchina non funziona bene. Associa le parole ai verbi corrispondenti ed esponi il problema al meccanico.

A. OLIO   **1. GONFIARE**

3. ACCENDERE   **C. STOP DESTRO**

2. ENTRARE   **B. GOMME**

D. PRIMA MARCIA   **4°. PERDERE**

«Quello che voglio farle vedere è la robustezza e il grado di resistenza di questa macchina...».

Soluzione

1 _____ 2 _____ 3 _____ 4 _____

9 Un'immagine per un dialogo

Ascolta i tre dialoghi e associali alle immagini.

A

B

C

Soluzione

1 _____ 2 _____ 3 _____

10 Cosa fa?

Ascolta il dialogo fra un automobilista e un benzinaio alla stazione di servizio. Individua fra i seguenti servizi quelli che l'automobilista richiede.

CAMBIA L'OLIO DEL MOTORE
GONFIA LE GOMME
AGGIUNGE ACQUA NEL RADIATORE
CONTROLLA IL LIQUIDO DELLA BATTERIA
CAMBIA LE CANDELE
CAMBIA IL FILTRO DELL'ARIA

Senza parole

CERCARE LAVORO

1. CANDIDATI

2. COLLOQUIO

3. INSERZIONE

4. SEGRETARIA

Prima di ascoltare

0

Osserva le immagini e descrivile in italiano.

1 _____   3 _____

2 _____   4 _____

Primo ascolto

1

Ascolta e rispondi.

a. Il signor Fusi ha studiato informatica.	Vero	☐	Falso	☐
b. Il signor Fusi si è laureato da poco.	Vero	☐	Falsò	☐
c. Il signor Fusi ha lavorato nel campo del software.	Vero	☐	Falso	☐
d. Il signor Fusi vorrebbe lavorare fuori dall'Italia.	Vero	☐	Falso	☐
e. Il signor Fusi deve sottoporsi a un'altra prova.	Vero	☐	Falso	☐

Secondo ascolto

Verifica le tue risposte.

3 Terzo ascolto

Ascolta e ripeti.

4 Quarto ascolto

Ascolta e completa.

Candidato	Permesso.		di software avanzato e sto facendo studi personali sull'intelligenza _____ .
Capo personale	Buongiorno. Si accomodi.		
Candidato	Buongiorno.	**Capo personale**	Questo è un campo aperto.
Capo personale	Prego, si sieda.	*Candidato*	Sì, ma ci sono molte _____ , adesso, molte idee. Sono sicuro che presto ci saranno novità importanti.
Candidato	Grazie.		
Capo personale	Dunque, lei è il signor Fusi?		
Candidato	Sì, esatto.	**Capo personale**	Lei ha la _____ a Torino?
Capo personale	Vedo dalla sua scheda che lei si è _____ a pieni voti, complimenti!	*Candidato*	Sì. Abito qui con la famiglia.
		Capo personale	Sarebbe _____ a viaggiare e a lavorare all'estero, anche per lunghi periodi?
Candidato	Grazie. Ho lavorato molto, ma è andata bene.		
Capo personale	Ha fatto Scienze _____ . Bene. Non ha ancora fatto nessuna esperienza di lavoro?	*Candidato*	Sarebbe il mio _____ !
		Capo personale	Bene, signor Fusi. Deve presentarsi qui domani alle nove, per un _____ di gruppo con altri candidati. Sa, oltre al curriculum personale dei candidati, siamo interessati anche a capire come _____ con gli altri, perché questo sarà un lavoro di équipe.
Candidato	No, ho discusso la _____ solo un mese fa.		
Capo personale	Come mai ha fatto domanda proprio da noi?		
Candidato	Mah, credo che la vostra sia l'azienda migliore nel _____ dell'informatica. Io ho fatto la tesi sulla creazione	*Candidato*	Va bene. Alle nove domani. La ringrazio.
		Capo personale	Arrivederla.

5 Creare un dialogo

Tu sei il candidato e il tuo compagno è il capo del personale. Create un dialogo di almeno dodici battute. Seguite le indicazioni date qui sotto.

CAPO DEL PERSONALE	CANDIDATO
Settore di studi	Economia
Tesi di laurea	Commercio internazionale
Motivo della domanda	Sede di lavoro nella citta dove risiede
Precedenti esperienze	Banca Nazionale del Lavoro
Residenza	Bologna
Disponibilità a viaggiare	Problemi familiari

Creare un dialogo

Hai letto il seguente annuncio e vuoi chiedere informazioni dettagliate. Il tuo compagno è un impiegato della ditta che ha messo l'annuncio. Create un dialogo di almeno sei battute.

GIOVANE SALESMAN

Azienda multinazionale ricerca per vendita strumentazione e prodotti nel settore biologico. Si richiede: diploma o laurea ad indirizzo chimico-biologico, lingua inglese, breve esperienza commerciale. Si offre: retribuzione interessante, auto aziendale, approfondito training.

Inviare curriculum a Pacetti Centro Direzionale - Milano - Fax:02/23.60.885 Tel. 02/65.80.911

Curriculum vitae

7

Osserva il curriculum vitae e completalo con gli elementi dati, inserendo la lettera corrispondente.

CURRICULUM VITAE

_____Roberta Vanni

_____Piazza Esedra, 36 20100 Milano

_____02/2021897

_____Brescia, 19.04.72

_____Diploma in ragioneria conseguito presso l'Istituto Tecnico Commerciale "Galileo Galilei" di Brescia, con la votazione di 50/60; diploma di laurea in Scienze Economiche conseguito presso l'Università degli Studi di Milano il 10.11.97 con la votazione di 110/110 e lode.

_____Dal 1998 al 2001 ho frequentato un corso di aggiornamento in economia aziendale istituito dalla Regione Lombardia; dal 2001 al 2002 ho lavorato presso la ditta "MarconiSpA" di Milano con la mansione di ragioniera; dal 2002 sono disoccupata.

_____Lettura, musica, sport.

_____Inglese: buono. Francese: ottimo

A. TITOLO DI STUDIO   **B. INDIRIZZO**   **C. ESPERIENZE DI LAVORO**

E. NUMERO TELEFONICO   **F. LUOGO E DATA DI NASCITA**   **H. INTERESSI**

G. LINGUE CONOSCIUTE   **D. NOME E COGNOME**

8

Colloquio di lavoro

Ascolta il dialogo fra un ragazzo e l'impiegato dell'ufficio di collocamento. Completa il curriculum vitae.

NOME E COGNOME _____ INDIRIZZO _____

LUOGO E DATA DI NASCITA _____ TITOLO DI STUDIO _____

ESPERIENZE DI LAVORO _____

_____

9

Associazioni

Alcuni giovani hanno messo delle inserzioni su un quotidiano economico, "Il sole 24 ore". Associa ogni inserzione al settore corrispondente.

A Agricoltura	**B** Industria	**C** Commercio	**D** Edilizia	**E** Amministrazione

1 CAMPANIA

Ventottenne biologa 106/110, esperienza laboratorio, docenza, quality-control industria alimentare, competenza biotecnologie, conoscenza inglese, Pc, interessata settore sanitario, agroalimentare ambientale, disponibilità spostamenti, offresi.

2 LOMBARDIA

Ventinovenne laureato in agraria 108/110, Master, Marketing alimentare, inglese, spagnolo, francese, esamina proposte di lavoro per l'Argentina.

3 LAZIO

Ventiquattrenne diplomata perito aziendale corrispondente inglese e francese, esperienza amministrazione Spa, uso Pc, dattilografia, cerca impiego.

4 ABRUZZO E MOLISE

Ventinovenne laureato in fisica 110/110, tesi teorico-numerica in meccanica statistica, conoscenza pc, esperienza laboratorio spettroscopia, conoscenza inglese, milite assolto, offresi.

5 ABRUZZO E MOLISE

Ventinovenne laureato in fisica 110/110, tesi teorico-numerica in meccanica statistica, conoscenza pc, esperienza laboratorio spettroscopia, conoscenza inglese, milite assolto, offresi.

6 EMILIA ROMAGNA

Ventenne diplomata perito aziendale, conoscenza francese e tedesco, Pc, esamina proposte di lavoro.

7 LAZIO

Ventiduenne diplomato geometra 54/60, militassolto ufficiale esercito, esperienza presso direzione genio militare, cerca lavoro presso studio, cantiere.

8 VENETO

Ventinovenne laureto scienze agrarie 110/110 a Padova, indirizzo tecnico economico, perito agrario, conoscenza inglese, uso Pc, esamina proposte Italia e estero, esclusa rappresentanza.

9 ABRUZZO E MOLISE

Venticinquenne laureata economia e commercio, tesi scissione societaria, conoscenza francese, esperienza studio commerciale, disponibile trasferimenti, auto propria, offresi.

10 ABRUZZO E MOLISE

Venticinquenne laureto economia e commercio, conoscenza scolastica inglese e francese, esperienza studio commerciale, militassolto, esamina proposte anche altra Regione.

Soluzione

1_____ 2_____ 3_____ 4_____ 5_____

6_____ 7_____ 8_____ 9_____ 10_____

10

E adesso provaci tu!

Scrivi il tuo curriculum vitae e poi confrontati con i tuoi compagni.

L'italiano per stranieri

Amato
Mondo italiano
testi autentici sulla realtà sociale
e culturale italiana
• libro dello studente
• quaderno degli esercizi

Ambroso e Di Giovanni
L'ABC dei piccoli

Ambroso e Stefancich
Parole
10 percorsi nel lessico italiano
esercizi guidati

Avitabile
Italian for the English-speaking

Balboni
GrammaGiochi
per giocare con la grammatica

Barki e Diadori
Pro e contro
conversare e argomentare in italiano
• **1** livello intermedio
libro dello studente
• **2** livello intermedio-avanzato
libro dello studente
• guida per l'insegnante

Barreca, Cogliandro e Murgia
Palestra italiana 1
esercizi di grammatica
livello elementare/pre-intermedio

Battaglia
**Grammatica italiana
per stranieri**

Battaglia
**Gramática italiana para
estudiantes de habla
española**

Battaglia
Leggiamo e conversiamo
letture italiane con esercizi
per la conversazione

Battaglia e Varsi
Parole e immagini
corso elementare di lingua italiana
per principianti

Bettoni e Vicentini
Passeggiate italiane
lezioni di italiano - livello avanzato

Blok-Boas, Materassi e Vedder
Letture in corso 1
corso di lettura di italiano
livello principianti e intermedio

Blok-Boas, Materassi e Vedder
Letture in corso 2
corso di lettura di italiano
livello avanzato e accademico

Buttaroni
Letteratura al naturale
autori italiani contemporanei
con attività di analisi linguistica

Camalich e Temperini
Un mare di parole
letture ed esercizi di lessico italiano

Carresi, Chiarenza e Frollano
L'italiano all'Opera
attività linguistiche attraverso
15 arie famose

Chiappini e De Filippo
Un giorno in Italia 1
corso di italiano per stranieri
principianti · elementare · intermedio
• libro dello studente con esercizi
  + CD audio
• guida per l'insegnante
  + test di verifica
• glossario in 4 lingue
  + chiavi degli esercizi

Cini
Strategie di scrittura
quaderno di scrittura
livello intermedio

Deon, Francini e Talamo
Amor di Roma
Roma nella letteratura italiana
del Novecento
testi con attività di comprensione
livello intermedio-avanzato

Diadori
Senza parole
100 gesti degli italiani

du Bessé
PerCORSO GUIDAto
guida di Roma
con attività ed esercizi di italiano
per stranieri

du Bessé
PerCORSO GUIDAto
guida di Firenze
con attività ed esercizi di italiano
per stranieri

du Bessé
PerCORSO GUIDAto
guida di Venezia
con attività ed esercizi di italiano
per stranieri

Gruppo META
Uno
corso comunicativo di italiano
primo livello
• libro dello studente
• libro degli esercizi e grammatica
• guida per l'insegnante
• 2 audiocassette / libro studente
• 1 audiocassetta / libro esercizi

Gruppo META
Due
corso comunicativo di italiano
secondo livello
• libro dello studente
• libro degli esercizi e grammatica
• guida per l'insegnante
• 3 audiocassette / libro studente
• 1 audiocassetta / libro esercizi

Gruppo NAVILE
Dire, fare, capire
l'italiano come seconda lingua
• libro dello studente
• guida per l'insegnante
• 1 audiocassetta

Humphris, Luzi Catizone, Urbani
Comunicare meglio
corso di italiano
livello intermedio-avanzato
• manuale per l'allievo
• manuale per l'insegnante
• 4 audiocassette

Istruzioni per l'uso dell'italiano in classe 1
88 suggerimenti didattici
per attività comunicative

Istruzioni per l'uso dell'italiano in classe 2
111 suggerimenti didattici
per attività comunicative

Istruzioni per l'uso dell'italiano in classe 3
22 giochi da tavolo

Jones e Marmini
Comunicando s'impara
esperienze comunicative
• libro dello studente
• libro dell'insegnante

Maffei e Spagnesi
Ascoltami!
22 situazioni comunicative
• manuale di lavoro
• 2 audiocassette

Marmini e Vicentini
Passeggiate italiane
lezioni di italiano - livello intermedio

Marmini e Vicentini
Ascoltare dal vivo
manuale di ascolto
livello intermedio
• quaderno dello studente
• libro dell'insegnante
• 3 audiocassette

Paganini
ìssimo
quaderno di scrittura
livello avanzato

Pontesilli
I verbi italiani
modelli di coniugazione

Quaderno IT - n. 4
esame per la certificazione
dell'italiano come L2
livello avanzato
prove del 2000 e del 2001
• volume + audiocassetta

Radicchi
Corso di lingua italiana
livello intermedio

Radicchi
In Italia
modi di dire ed espressioni
idiomatiche

Stefancich
Cose d'Italia
tra lingua e cultura

Stefancich
Tracce di animali
nella lingua italiana tra lingua
e cultura

Svolacchia e Kaunzner
Suoni, accento e intonazione
corso di ascolto e pronuncia
• manuale
• set 5 CD audio

Tettamanti e Talini
Foto parlanti
immagini, lingua e cultura

Totaro e Zanardi
Quintetto italiano
approccio tematico multimediale
livello avanzato
• libro dello studente con esercizi
• libro per l'insegnante
• 2 audiocassette
• 1 videocassetta

Ulisse
Faccia a faccia
attività comunicative
livello elementare-intermedio

Urbani
Senta, scusi...
programma di comprensione
auditiva con spunti di produzione
libera orale
• manuale di lavoro
• 1 audiocassetta

Urbani
Le forme del verbo italiano

Verri Menzel
La bottega dell'italiano
antologia di scrittori italiani del
Novecento

Vicentini e Zanardi
Tanto per parlare
materiale per la conversazione
livello medio-avanzato
• libro dello studente
• libro dell'insegnante

Linguaggi settoriali

Ballarin e Begotti
Destinazione Italia
l'italiano per operatori turistici
• manuale di lavoro
• 1 audiocassetta

Cherubini
L'italiano per gli affari
corso comunicativo di lingua
e cultura aziendale
• manuale di lavoro
• 1 audiocassetta

Spagnesi
Dizionario dell'economia e della finanza

Dica 33
il linguaggio della medicina
• libro dello studente
• guida per l'insegnante
• 1 audiocassetta

L'arte del costruire
• libro dello studente
• guida per l'insegnante

Una lingua in pretura
il linguaggio del diritto
• libro dello studente
• guida per l'insegnante
• 1 audiocassetta

Classici italiani per stranieri
testi con parafrasi a fronte* e note

1. Leopardi • *Poesie*
2. Boccaccio • *Cinque novelle*
3. Machiavelli • *Il principe*
4. Foscolo • *Sepolcri e sonetti*
5. Pirandello • *Così è (se vi pare)*
6. D'Annunzio • *Poesie*
7. D'Annunzio • *Novelle*
8. Verga • *Novelle*
9. Pascoli • *Poesie*
10. Manzoni • *Inni, odi e cori*
11. Petrarca • *Poesie*
12. Dante • *Inferno*
13. Dante • *Purgatorio*
14. Dante • *Paradiso*
15. Goldoni • *La locandiera*
16. Svevo • *Una burla riuscita*

Libretti d'Opera per stranieri
testi con parafrasi a fronte* e note

1. *La Traviata*
2. *Cavalleria rusticana*
3. *Rigoletto*
4. *La Bohème*
5. *Il barbiere di Siviglia*
6. *Tosca*
7. *Le nozze di Figaro*
8. *Don Giovanni*
9. *Così fan tutte*
10. *Otello*

Letture italiane per stranieri

1. Marretta
Pronto, commissario...? 1
16 racconti gialli con soluzione ed esercizi per la comprensione del testo

2. Marretta
Pronto, commissario...? 2
16 racconti gialli con soluzione ed esercizi per la comprensione del testo

3. Marretta
Elementare, commissario!
8 racconti gialli con soluzione ed esercizi per la comprensione del testo

Mosaico italiano

1. Santoni
La straniera (liv. 2/4)
2. Nabboli
Una spiaggia rischiosa (liv. 1/4)
3. Nencini
Giallo a Cortina (liv. 2/4)
4. Nencini
Il mistero del quadro... (liv. 3/4)
5. Santoni
Primavera a Roma (liv. 1/4)
6. Castellazzo
Premio letterario (liv. 4/4)
7. Andres
Due estati a Siena (liv. 3/4)
8. Nabboli
Due storie (liv. 1/4)
9. Santoni
Ferie pericolose (liv. 3/4)
10. Andres
Margherita e gli altri (liv. 2-3/4)
11. Medaglia
Il mondo di Giulietta (liv. 2/4)
12. Caburlotto
Hacker per caso (liv. 4/4)

Pubblicazioni di glottodidattica

La formazione di base del docente di italiano per stranieri
a cura di Dolci e Celentin

L'italiano nel mondo
a cura di Balboni e Santipolo

I libri dell'Arco

1. Balboni • *Didattica dell'italiano a stranieri*
2. Diadori • *L'italiano televisivo*
3. Micheli • *Test d'ingresso di italiano per stranieri*
4. Benucci • *La grammatica nell'insegnamento dell'italiano a stranieri*
5. AA.VV. • *Curricolo d'italiano per stranieri*
6. Coveri, Benucci e Diadori • *Le varietà dell'italiano*

Finito di stampare
nel mese di ottobre 2003
dalla Tibergraph s.r.l.
Città di Castello (PG)